Amigo Marcelo, que este livro possa te trazer grandes ideias para vender muito mais. Sucesso!

O VENDEDOR NA ERA DIGITAL

COMO VENDER POR E-MAIL, INTERNET E REDES SOCIAIS

Conheça o poder do novo consumidor, quem é e o que ele quer e aumente as vendas utilizando as novas ferramentas do mundo digital

Gente editora

CARO LEITOR,

Queremos saber sua opinião sobre nossos livros.
Após a leitura, curta-nos no **facebook/editoragentebr**,
siga-nos no Twitter **@EditoraGente** e visite-nos no site
www.editoragente.com.br.

Cadastre-se e contribua com sugestões, críticas ou elogios.

Boa leitura!

CÉSAR FRAZÃO
JOÃO KEPLER

O VENDEDOR NA ERA DIGITAL

COMO VENDER POR E-MAIL, INTERNET E REDES SOCIAIS

Conheça o poder do novo consumidor, quem é e o que ele quer e aumente as vendas utilizando as novas ferramentas do mundo digital

Gente editora

Gerente Editorial
Mariana Rolier

Editora
Marília Chaves

Editora de Produção Editorial
Rosângela de Araujo Pinheiro Barbosa

Controle de Produção
Fábio Esteves

Preparação
Carolina Rocha

Projeto gráfico e Diagramação
Pedro Oliveira

Capa
Pedro Oliveira

Foto de Capa
DeiMosz/Shutterstock

Revisão
Sirlene Prignolato

Impressão
Assahí Gráfica

Rua Pedro Soares de Almeida, 114,
São Paulo, SP – CEP 05029-030
Telefone: (11) 3670-2500
Site: http://www.editoragente.com.br
E-mail: gente@editoragente.com.br

Dados Internacionais de Catalogação na Publicação (CIP)
(Câmara Brasileira do Livro, SP, Brasil)

Frazão, César
O vendedor na era digital : como vender por e-mail, internet e redes sociais : conheça o poder do novo consumidor, quem é e o que ele quer e aumente as vendas utilizando as novas ferramentas do mundo digital / César Frazão e João Kepler . -- São Paulo : Editora Gente, 2013.

ISBN 978-85-7312-910-6

1. Comércio eletrônico 2. Internet (Rede de computadores) 3. Marketing na internet 4. Publicidade na Internet 5. Vendas I. Kepler, João. II. Título.

13-10374 CDD-384.33

Índices para catálogo sistemático:

1. Publicidade na Internet : Comércio eletrônico : Comunicação por computadores 384.33
2. Vendas na Internet : Comércio eletrônico : Comunicação por computadores 384.33

Dedico este livro aos meus seguidores, fãs, colegas palestrantes e leitores do meu blog e dos artigos que escrevo para portais, revistas e jornais, às empresas que me contratam e aos estudantes universitários do Brasil que me recebem e me aplaudem calorosamente nos eventos.

Dedico também a todos as pessoas que trabalham ou já trabalharam comigo, com as quais aprendi e que contribuíram para que meu trabalho evoluísse sempre.

Aos meus colegas no Show de Ingressos que permitiram que eu tivesse mais tempo livre para me dedicar a este livro.

E, claro, a toda a minha família, em especial a minha esposa Cristiana e aos meus filhos Theo, Davi e Maria.

JOÃO KEPLER

Dedico este livro a todos os vendedores e às empresas que lutam diariamente para vencer, e aos promotores de eventos, por propagarem essa mensagem através de nossas palestras. Também a minha amada Neliane, aos nossos três queridos filhos e ao meu pai *in memoriam* que faz muita falta.

CÉSAR FRAZÃO

Agradeço especialmente ao Grupo KLA, ao Edilson Lopes, pelas oportunidades e orientações, e ao amigo César Frazão, por participarmos juntos deste projeto.

João Kepler

SUMÁRIO

Introdução

A CADA INSTANTE VIVEMOS UM MOMENTO DE DESCOBERTA, EM QUE muitos aprendizados se colocam diante de nós. É preciso que estejamos abertos a eles, que olhemos com olhos curiosos: é assim que o incrível mundo digital quer ser visto. Somente se agirmos dessa maneira poderemos usufruir das muitas experiências, novidades e, acima de tudo, dos novos horizontes que esse mundo pode nos oferecer.

O mundo digital começou devagar, em alguns segmentos, atingindo apenas classes sociais mais elevadas e pessoas ligadas à área da tecnologia. Entretanto, a realidade não é mais assim. Estamos conectados com todas as mídias, independentemente da classe social ou da profissão. Facebook, Twitter, Instagram, Pinterest e inúmeros blogs e redes sociais com os mais diversos interesses são as ferramentas que nos conectam.

Ao observarmos as transformações que ocorreram ao longo de nossa vida, podemos dizer que nos últimos 25 anos a tecnologia passou a fazer parte do nosso trabalho gradativamente, e na última década ela entrou com força total e nos proporcionou experiências enriquecedoras. Nos últimos doze anos, o mercado digital chegou para ficar, para mostrar o seu lugar e um novo modo de trabalhar em nossa área de atuação.

A era que estamos vivendo chamamos de era "social", e isso muda tudo, absolutamente tudo. O que aprendemos até agora sobre vendas é a base para ser utilizada em uma linguagem mais direcionada ao comportamento das pessoas de acordo com o que demonstram querer em todas as mídias sociais.

É a era do novo vendedor, aquele que aprende todos os dias, que está a par da evolução do mundo digital e na era das mídias sociais, as quais determinam linguagem, comportamento, desejos e, acima de tudo, orientam o consumo.

O mais difícil nessa nova era é conseguir fazer com que os céticos, aquelas pessoas que permanecem presas a antigos ensinamentos, antigas crenças, antigas estratégias e a padrões automáticos de comportamento, entendam que há algo novo, totalmente participativo, colaborativo, criativo e inovador. Desse modo, usar velhos mapas, esquemas estatísticos ultrapassados e informações que ficaram guardadas na gaveta são atitudes que já não cabem mais no mundo digital. É preciso olhar à sua volta e ver os novos caminhos digitais que serão úteis em seu trabalho daqui para a frente. Não estamos dizendo que é para rasgar e jogar fora tudo aquilo que você tem, todo o aprendizado acumulado até agora. Eles vão somar aos seus novos conhecimentos, mas não serão o indicador do seu comportamento diante do mercado que você pretende atingir.

Vamos sair da zona de conforto e mudar o rumo do nosso pensamento, deixando como base o que já aprendemos e, a partir de agora, conhecer e enfrentar os desafios que a era digital nos impõe.

Neste livro, vamos trabalhar as novas situações que se colocam diante de cada um de nós, vamos analisar de maneira prática o que já existe no dia a dia de cada vendedor, conhecer os caminhos oferecidos e quais deles poderemos desbravar.

Estamos em plena era digital, não se esqueça disso. E quando estamos vivenciando um período de transformação, não existe fórmula mágica para determinar como será o fim. Todo esse processo de transição de venda tradicional para venda virtual ainda vai mudar muito. Precisamos mudar com ele. Estamos todos – pessoas, empresas, marcas, produtos e serviços – na era de mídias sociais e na era digital. Vamos nos encontrar na internet, quer você queira ou não.

Boa leitura e aproveite!

1

O crescimento do mundo digital

ATÉ HÁ BEM POUCO TEMPO, FAZER COMPRAS ON-LINE ERA PARA poucos e gerava desconfiança na maioria das pessoas. As perguntas dos consumidores eram "quem vai me atender?", "quem vai me entregar?", "se houver problemas, com quem vou reclamar?". Com a popularização de serviços e com o constante aumento de ofertas de produtos, a credibilidade das vendas na internet foi mudando o comportamento dos consumidores e, consequentemente, das empresas.

De mecanismo de busca – pois a maioria das pessoas utilizava a internet para pesquisar preços e ofertas de produtos que desejavam –, a internet passou a ser uma opção bem cômoda e atraente para o consumidor. O aumento de serviços, a credibilidade e a conveniência de pedir, pagar e receber em casa, comodamente, os produtos desejados começaram a ser popularizados pelo boca a boca. A desconfiança deu lugar à experimentação. À medida que a oferta de serviços foi aumentando, os mecanismos de segurança, filtro, buscas, entre outros, foram acompanhando esse crescimento. Em sites, blogs e redes sociais, os clientes descobriram outros importantes estímulos para comprar on-line, como opiniões, recomendações, avaliações, recompensas, experiências, compartilhamentos, customizações, nichos e, principalmente, ofertas que não encontravam em lojas físicas. Os profissionais de vendas, em especial os mais antigos, geralmente são céticos às novas tecnologias e à evolução digital. É comum ouvirmos argumentos como: "Não perco meu tempo com redes sociais", "Meu produto e serviço são vendidos pelo boca a boca", "A empresa já tem um site", "Não tenho tempo para administrar as redes sociais", "Meus clientes não compram pela internet", "Na minha cidade ninguém usa isso". Contudo, o vendedor também precisa se adaptar à evolução humana: são novos tempos com novas necessidades e novos consumidores. A tecnologia está disponível para todos, isso muda tudo e faz toda a diferença na hora de vender. Cada vez mais é necessário que os profissionais de venda se atualizem para usar as novas mídias, os novos mecanismos, e que estejam conectados com o que está ocorrendo nesse mercado virtual.

As mídias sociais funcionam como um canal de comunicação e divulgação de alta capacidade de alcance. Atualmente, os mais distantes clientes estão a um clique da compra, e os vendedores não podem desprezar isso.

O perfil do consumidor mudou. É chegada a hora de você, vendedor, olhar para si mesmo e para o mundo ao redor e se perguntar: estou acompanhando a rápida mudança tecnológica e a tendência de compra dos meus consumidores?

2

O vendedor digital e as novas ferramentas

ENCARAR O NOVO NEM SEMPRE É FÁCIL, MAS O MERCADO ESTÁ mudando e pede que os profissionais também mudem, que acompanhem as tendências de comportamento. O novo perfil de consumidor que está emergindo do mundo digital requer um vendedor conectado com as novas tecnologias e com o que está ocorrendo com elas. Você já parou para pensar quão conectado ao seu cliente você está?

Mesmo que o vendedor trabalhe em uma empresa que não esteja presente no mundo virtual – o que é, sabidamente, um erro –, ele deve buscar clientes e manter contatos profissionais por meio das redes sociais.

Assim, vender on-line não é apenas uma questão de estar presente em comércio eletrônico. Em primeiro lugar, é preciso entender como essa ferramenta de vendas funciona, em qual contexto pode ser aproveitada e como pode gerar, de maneira otimizada, prospecções e indicações no mundo virtual que podem também ser convertidas em vendas presenciais, no mundo real.

Por meio dos aparelhos móveis – celulares, tablets, notebooks e outros mais – as pessoas estão conectadas 24 horas por dia em todos os ambientes oferecidos pelas redes. Considerada uma revolução, a tecnologia móvel tem esse nome por uma única e simples razão: aonde quer que vá, o usuário está conectado. Por usuário entenda-se cliente. Então, se você estiver conectado, poderá entrar em contato com esse cliente em qualquer lugar: no ônibus, no metrô, no carro, no supermercado, em casa. Esse cliente também estará acessível a qualquer hora do dia. As pessoas comparam preços, pesquisam produtos, veem recomendações e compram pela internet qualquer coisa de que precisem, a qualquer hora e em qualquer lugar – e isso vem ocorrendo cada dia com mais frequência!

O bom vendedor digital pode e deve se aproveitar desse mesmo ambiente e usar a tecnologia a seu favor. A mobilidade que se iniciou como uma facilidade para o consumidor tornou-se uma necessidade. Criada a necessidade, o vendedor digital só precisa aproveitar a oportunidade de se fazer presente no mundo virtual.

Vender pela internet exige novas habilidades, assim como exige também dedicação 24 horas por dia e administração em tempo integral. É preciso estar conectado o tempo todo e dar respostas ao cliente o mais rápido possível, pois ele vive na velocidade da tecnologia, e essa rapidez é o grande diferencial de quem utiliza a rede. Se houver demora de resposta, o cliente pode mudar de ideia, procurar outro produto similar, encontrar outro produto igual em oferta ou simplesmente desistir porque não quis esperar.

Uma grande facilidade para o vendedor digital é que ele trabalha de onde quiser, seja na própria casa, seja em deslocamentos pela cidade ou fora dela, e a qualquer hora do dia.

Uma novidade interessante, não é? NÃO! Isso hoje já é normal. O cliente está na internet, e ter presença on-line é essencial se o vendedor quiser acompanhar a evolução que ocorre a cada minuto. As novidades que surgem e as tendências mudam, às vezes, em um piscar de olhos.

Não sabemos se você já percebeu, mas a velocidade de troca de informações nas redes é tanta que em um momento as pessoas estão falando do último livro de ficção da maior romancista do mundo e, no instante seguinte, a atenção delas está voltada para o último modelo de smartphone, o lançamento de um perfume, um escândalo de celebridades, entre tantas coisas que acontecem assim, a um clique dos nossos olhos. Para continuar vendendo ou aumentar as vendas é preciso entrar de cabeça nesse redemoinho, que, no final das contas, você perceberá que não é nada complexo.

Você pode estar se perguntando: "nada complexo?"; "ficar o tempo todo conectado?". Como começar?

Em primeiro lugar, entre nas redes sociais, encontre amigos, pessoas que atuam na sua área, potenciais clientes e faça seu networking, sua rede de contatos profissionais. Segundo, pesquise as oportunidades em sites de busca, como o Google e o Bing, conheça sites relacionados àquele produto que você pretende vender – afinal, mesmo virtualmente você tem de conhecer os seus concorrentes –, pesquise blogs que indicam produtos, as redes sociais propriamente ditas, como Facebook, Twitter, Tumblr, Pinterest, Mobli, Instagram, entre outras que surgem todos os dias e que tornam as pessoas cada vez mais conectadas com o mundo virtual. Fique atento aos portais especializados, pois eles são canais de informação e de direcionamento para turbinar suas vendas.

É muito importante que você faça parte de fóruns de discussões, grupos de debates e comunidades, entre outras oportunidades que a internet disponibiliza.

Assim, ao oferecer seu produto, todos saberão quem procurar quando a necessidade for detectada.

Lembre-se que: para o profissional que busca ampliar seu networking, a presença nas mídias sociais é fundamental. O vendedor porta a porta, por exemplo, pode destacar sua atuação, propagar ações, participar de grupos do mercado e otimizar seu contato com clientes e parceiros de negócio por meio de fóruns de discussão, criação de página no Facebook e conta no Twitter e no Tumblr.

Da mesma forma que o vendedor tradicional, o vendedor digital tem de ter a versatilidade de agregar ações, independentemente de ser por e-mail, telefone, redes sociais ou pessoalmente, para melhorar e aproximar a relação com seus clientes e proporcionar geração e fechamento de negócios.

Nunca é demais reforçar que o começo da estrada para se tornar um vendedor digital imbatível é analisar comportamentos, opiniões e tendências de amigos e seguidores nas redes sociais, participar de grupos de discussão e comunidades relacionadas ao tipo de produto que você trabalha. Ou seja, é necessário, antes de qualquer ação, identificar os gostos, o estilo de vida, as páginas que os seus e potenciais clientes frequentam, as indicações que dão, as pistas que deixam pelo caminho digital.

Nada disso dá frutos, porém, se o vendedor digital não mostrar conhecimento sobre seu produto e emitir opinião criteriosa sobre ele, não somente para vendê-lo, mas para servir de referência da área em que atua. A venda vem pelos amigos e seguidores virtuais, que vão conhecer o produto, demonstrar interesse e se transformar em novos clientes. O vendedor não só pode como deve fazer marketing do que vende, mas também deve focar em conteúdo. Explicamos: se vende roupa, por exemplo, fale de moda, de tendências, do mundo correlato, mostre fotos dos produtos similares, indique links que mostrem como usar seu produto.

Quer um exemplo? Estávamos navegando na internet, lendo notícias, nos atualizando com o que estava acontecendo na rede, familiarizando-nos cada vez mais com o mundo digital, e vimos, num blog de acessórios, como dar nó em echarpes. Eram cinquenta alternativas. Cinquenta! Uma pessoa foi filmada, em câmera lenta, fazendo o passo a passo! Ficamos impressionados. Não tivemos dúvida, colocamos o link em nossa página do Facebook para ver o que aconteceria. Não havia passado nem uma hora e já havia mais de quarenta compartilhamentos. As pessoas amaram. Muitas chegaram a nos escrever para dizer que não imaginavam que poderiam inovar tanto com uma simples echarpe! O que ela não sabia era que estávamos testando não as maneiras de dar nó em echarpes, e sim o que motivaria o consumidor, o cliente, a compartilhar algo. A resposta, para nós, foi clara: uma linguagem simples, rápida e atraente, que alcançou os mais diferentes tipos de pessoas, e um produto de grande aceitação.

Portanto, lembre-se dessa dica importante: não use uma ferramenta qualquer para fazer propaganda direta do seu produto no meio digital. O que é 100% eficaz para a propaganda tradicional não funciona para a internet, pois uma linguagem não conversa com a outra. A linguagem da internet é rápida, visual, sem muitas explicações, senão, a pessoa que está navegando no site certamente passará para outro assunto mais interessante.

Nas redes sociais, você também deve usar a linguagem da internet para fazer com que seus amigos virtuais se interessem pelo produto. Se a conversa evoluir e se você quiser falar de preço, mostre como valor agregado dentro de um contexto, uma oferta e uma oportunidade, nunca no estilo: "Compre batom; compre batom; compre batom". É sempre bom lembrar para o seu interlocutor da rede que a qualidade de um produto é quando as pessoas esquecem o que pagaram. Ou seja, o produto é tão bom e durou tanto, que ele já se pagou muitas vezes. E é assim que tem de ser. Novamente voltamos a um exemplo que vimos numa *fanpage*, uma página que pode ser criada dentro do Facebook: um homem com o mesmo suéter em várias fotos, em vários anos diferentes. E ele dizia que tinha valido a pena pagar por aquele suéter, pois a qualidade resistia ao tempo.

Outra forma de usar as redes sociais a seu favor é criar a sua conta nelas e depois criar um blog, um site ou uma *fanpage*. Com essas ferramentas, você pode convidar as pessoas que se interessam pelo produto a "curtir" ou "visitar" sua página e compartilhar com outras pessoas. O resultado é fantástico. Não demora muito e você vai ver o nível de visitação crescer cada vez mais, pois isso gera um ciclo contínuo, no qual os amigos de seus contatos também compartilharão e assim sucessivamente.

É preciso ressaltar que a maioria dos profissionais de venda ainda não sabe como usar as redes sociais para seu benefício. O fato é que a internet vem quebrando paradigmas de negócios a cada dia, pois uma pessoa tem o poder de atingir qualquer outra ao redor do planeta, sem barreiras ou hierarquias. E compreender esse alcance ainda é um desafio para muitos profissionais.

O vendedor deve aprender como tirar proveito do potencial das redes sociais para buscar e estreitar o relacionamento com clientes e, para isso, terá de fazer grandes mudanças em seus modelos de vendas.

Empresas tradicionais de vendas porta a porta já perceberam isso, e já estão construindo seus ambientes de vendas nas redes sociais, onde os seus vendedores podem compartilhar informações e vender produtos aos seus seguidores e amigos pelo próprio sistema que chamamos de "clique a clique".

Para usar a força das redes sociais para alavancar as vendas, os vendedores estão transformando os seus perfis no Facebook e no Twitter, de forma estruturada, em canais de venda e divulgação de produtos para os seus contatos. As páginas das redes sociais são gratuitas e você não precisa investir dinheiro nelas para fazer seu marketing. Tudo o que você tem a fazer é investir seu tempo e seu esforço. Você tem de dar o seu melhor para obter os melhores resultados.

Enfim, estamos mais do que conectados, estamos envolvidos no mundo virtual e se hoje somos 94 milhões de internautas no Brasil, imagine quanto seremos daqui a um ano? E você, vendedor, já se preparou para surfar nessa onda e aproveitar o momento? Não? Então corra, porque já tem muito vendedor aumentando seus resultados!

Facebook: rede social para networking, compartilhamentos de imagens, textos e vídeos. Permite que o usuário crie páginas ou acompanhe páginas do seu interesse; além de conversar com amigos, jogar e usar diversos aplicativos disponíveis na própria rede.

Twitter: Microblog onde os usuários postam textos de até 140 caracteres, os tweets.

Tumblr: Possibilita ao usuário criar blogs para compartilhar textos, citações, imagens, vídeos. O que o difere das demais ferramentas de mídia social é a personalização que os usuários podem criar para deixar o blog com a sua cara.

Instagram: Aplicativo para compartilhar fotos e vídeos e que pode ser integrado às outras redes sociais.

Pinterest: Rede social para compartilhar imagens, que podem ser organizadas por temas. Os usuários podem compartilhar as imagens que os inspiram no Facebook e no Twitter.

3

A arte de vender pela internet

MUITA GENTE PENSA QUE VENDER PELA INTERNET SE RESUME APENAS a fazer um site, uma loja virtual, um blog ou uma *fanpage*. Não é!

Há infinitas opções na internet, mas é preciso que você saiba usá-las e que esteja conectado com todos os meios que ligam pessoas: redes sociais e blogs para iniciar o processo.

O próprio Google é a melhor ferramenta para você verificar o que seus concorrentes estão fazendo, que recursos estão usando, o que estão oferecendo para os clientes.

Na internet, a maioria das soluções é gratuita, e com isso é possível vender seus produtos ou serviços (de qualquer segmento) utilizando vários mecanismos de divulgação e de venda do mundo virtual também no presencial.

Não importa se você tem uma loja de peças, se é um vendedor de consórcio, se trabalha como vendedor em uma loja de departamentos, se é um vendedor de medicamentos ou um corretor de imóveis. Todas as categorias de vendas podem utilizar também as ferramentas virtuais para alavancar as vendas presenciais, tanto em lojas físicas, como no porta a porta.

É importante entender que, ao longo da última década, a internet se tornou um dos principais canais de comunicação e também um excelente canal de relacionamento com os consumidores dos quatro cantos do país e do mundo. Dificilmente uma estratégia estruturada de marketing e vendas em alguma empresa pode deixar de considerar este canal como potencial mecanismo de vendas.

Os amplos recursos da internet possibilitam que você divulgue seu produto muito além da região em que vive. Você não precisa se deslocar para os lugares, basta apenas que utilize as ferramentas corretamente para que a divulgação tenha êxito.

De acordo com a empresa US Media Consulting, quando você cria um plano de vendas, ele tem de estar atrelado ao marketing digital. Você não deve favorecer apenas os grandes sites como o Facebook e o LinkedIn, outra rede social com foco em contatos profissionais. Tente também os menores, mas não menos importantes, como os populares Ask.fm, rede de perguntas e respostas, e o Bing, mecanismo de busca, entre outros.

É muito importante, porém, estar atento aos conteúdos que são mais compartilhados nas redes sociais. Essa atitude pode ajudá-lo a maximizar o alcance dos seus anúncios e de suas ações de vendas.

Recentemente, a empresa E.Life divulgou uma pesquisa sobre como os brasileiros usam as mídias sociais e revelou os sites cujos conteúdos são mais compartilhados.

Os brasileiros são alguns dos espectadores de vídeos *on-line* mais ávidos do mundo e cerca de 50% do que eles veem é compartilhado. Os brasileiros também têm ampla participação na postagem de vídeos no YouTube.

Para você ter uma ideia, de acordo com a pesquisa da E.Life, seis em cada dez usuários brasileiros de redes sociais compartilham fotos pelo Instagram, enquanto 26% as compartilham pelo Twitpic, uma ferramenta do Twitter, e 12% pelo Flickr, rede voltada para compartilhamento de imagens.

Além de discutir os conteúdos de mídia mais compartilhados pelos brasileiros, a pesquisa também destacou alguns aspectos sobre os usuários de redes sociais do país, como os seguintes:

- Os computadores de mesa ainda são os principais dispositivos usados pelos brasileiros para acessar a internet (74% deles têm um computador desse tipo), mas os outros dois dispositivos mais utilizados para entrar na rede são o notebook (65,7%) e o celular (61,8%).

- Cinquenta e quatro por cento dos brasileiros disseram que passam pelo menos 30 horas por semana na internet e quase 35% passam mais de 40 horas por semana na rede.

- Embora apenas um pequeno percentual de brasileiros tenha afirmado que usa tablets para acessar a internet, 46% dos usuários de tablets no Brasil passam pelo menos 20 horas por semana na rede com seus dispositivos.

- O Facebook ainda é o site mais visitado por 81% dos brasileiros entrevistados pela E.Life, enquanto o Google cresceu 10 pontos percentuais em popularidade no Brasil desde a mesma pesquisa realizada pela empresa em 2012, e o LinkedIn teve um crescimento de 21 pontos percentuais.

- O Instagram parece ser um dos novos sites mais populares do Brasil: 22% dos entrevistados afirmaram que se registraram no site pelo menos três meses antes da realização da pesquisa.
- Um terço dos entrevistados afirmou que começou a usar o Pinterest recentemente.
- 71% dos brasileiros assistem à televisão enquanto estão na internet e 50% ouvem rádio enquanto estão on-line.
- Quase 67% dos brasileiros afirmaram que seguem marcas em redes sociais para contar com serviços de atendimento ao cliente on-line sempre que precisam.
- 93% dos brasileiros curtem páginas de empresas no Facebook e quase metade deles (48,5%) passa a gostar mais das empresas após segui-las na rede social.

No mundo conectado de hoje, todas as empresas e marcas, independentemente de seu segmento de mercado, estão na internet, seja de maneira ativa ou por meio de postagens e comentários de clientes e consumidores nas redes sociais, em blogs e em sites. As empresas e as marcas estão involuntariamente na internet. Elas não têm escolha!

Por que razão? Porque os usuários postam os produtos que compram, comentam sobre o novo carro, a nova roupa, o novo apartamento. Há os que amam. Há os que odeiam. No entanto, todos falam sobre os produtos.

Quando queremos comprar, por exemplo, uma geladeira nova, começamos a pesquisar marcas e modelos. Onde? Na internet, claro. Estudamos modelos, comparamos características, vemos preços, opinião dos compradores e chegamos a uma conclusão. Decisão tomada, compramos o eletrodoméstico. Onde? A maioria das pessoas vai a uma loja física. Agora, porém, o consumidor tem opção. Ele pode fazer a pesquisa e efetuar a compra on-line. Também pode fazer a pesquisa on-line e se dirigir a uma loja física, para ver o produto, tocar, ter a exata noção de como ele é, trocar ideias com o vendedor, perguntar sobre garantias, testar o produto na hora. Essa postura é comum. Segundo pesquisa da TNS Research International realizada em 2010, 92% dos consumidores utilizam a internet para pesquisa de produtos antes de tomar a decisão de compra. Por isso a importância de ter uma forte presença on-line, capaz de motivar o consumidor a escolher o seu ponto de venda para comprar.

Por outro lado, está aumentando o número de pessoas que compra diretamente pela internet, e as lojas físicas muitas vezes não passam de *showroom* ou vitrine. Vamos às lojas físicas para ver, tocar, cheirar e compramos on-line pelo menor preço. E, as vezes, compramos e só esperamos o produto chegar.

Fazendo uma analogia com o sistema de vendas porta a porta, o vendedor credenciado vai diretamente à casa do cliente para oferecer produtos e serviços. Uma vendedora de cosméticos, por exemplo, leva os catálogos e mostra às clientes. De acordo com o catálogo, a cliente escolhe o produto, faz o pedido para a vendedora, espera a vendedora receber e entregar na casa dela. No ambiente da internet, essa mesma vendedora tem uma página no Facebook e oferece os mesmos produtos por meio de sua página. Essa é a realidade de muitos vendedores e consumidores atualmente.

Até bem pouco tempo atrás, para fazer divulgação de sua empresa, marca, serviço ou produto era necessário muito investimento em publicidade na mídia de massa (rádio, jornal e televisão). Hoje, você pode fazer a divulgação gratuitamente utilizando as ferramentas do marketing digital que, se bem operadas, podem ser importantes aliadas, além de ótimos e inteligentes canais complementares.

O ponto principal é: como entender, usar, trabalhar e maximizar todos esses recursos disponíveis de forma assertiva e profissional a favor do seu negócio? Internet é coisa séria, com mais de 94 milhões de internautas no Brasil esperando para ser atraídos pelo produto que você comercializa, não dá para perder tempo!

Pois bem, o mundo virtual está aí. Fazer marketing digital, vender pela internet, mostrar seu serviço: a escolha é sua e o consumidor está esperando a melhor oferta, o melhor produto, mas, acima de tudo, apresentado da melhor maneira possível, ou aquilo que ele ainda não sabe que precisa comprar, aquele produto que ele quer muito!

Para tornar-se um vendedor digital de sucesso é essencial acompanhar essa evolução e entender que tudo hoje está baseado nas pessoas, nas suas conexões, na sua capacidade de engajamento e relevância social. As marcas não são mais aquilo que acham que são, e sim o que seus clientes dizem. Com isso, qualquer empreendimento deve ter total atenção com a interação virtual, justamente porque o comportamento de compra se remodelou, tanto no on-line (mundo virtual) como no off-line (mundo real).

Não se trata apenas de comércio eletrônico (vender pela internet) ou de *social commerce* (venda dentro das redes sociais), mas de um novo contexto social e de comportamento de compra influenciado pelo ecossistema social, ou seja, o ambiente virtual em que as pessoas vivem, frequentam e com quem e como interagem.

Não são apenas as novas tecnologias que permitem uma experiência mais completa e integrada com o mundo virtual, mas são questões ligadas ao comportamento do consumidor que devem ser estudadas para aumentar as vendas.

Tudo isso resulta em mais pessoas que começam a comprar (em lojas físicas ou em lojas virtuais) de acordo com uma oferta pela qual foram atraídas quando estavam navegando pela internet. Perceber e entender esse momento, como pensam os clientes e como o ambiente virtual funciona é fundamental para estar pronto para disputar o mercado.

É preciso ressaltar, porém, que ainda há carência de informação sobre como um profissional de vendas deve atuar nas mídias sociais. Muitas empresas, inclusive, estão em busca de treinamentos mais estruturados, porque se deram conta de que seus clientes estão lá. É nas redes sociais a vitrina de seu produto. É lá que ele pode ser visto e procurado.

Aceite os fatos: a mudança chegou, os clientes estão na internet, esse é um caminho sem volta, a mídia social é um canal importantíssimo de divulgação, e, não importa o que você venda, é preciso aproveitar tudo isso!

4

As redes sociais

AS REDES SOCIAIS CAUSARAM UMA GRANDE MUDANÇA DE COMPORTAmento na nossa sociedade. A forma de relacionamento é outra. A maneira como nos informamos é muito mais rápida. É muito fácil disseminar pelo país – e, por que não?, pelo mundo – uma ideia, um conceito, um preconceito; mas também uma necessidade, uma tendência. É a nova forma de influenciar as pessoas, de as pessoas descobrirem o que há nas prateleiras das lojas, ou no catálogo de produtos, sem ter de sair de casa. As redes mudaram a forma de como as pessoas podem se relacionar, pensar e agir.

Mudou, com isso, a maneira como as pessoas pesquisam o que elas precisam, como visualizam as novidades que estão em cada esquina e como sabem a qualidade do produto sem ter de testá-lo. As opiniões estão na rede e se multiplicam rapidamente.

As redes sociais são feitas por pessoas e são elas que determinam quando, onde e como querem usar os ambientes e as plataformas sociais.

As redes sociais são ferramentas que, quer você queira ou não, entraram definitivamente nas nossas vidas, na nossa rotina. Essas ferramentas permitem que pessoas, mesmo com pouco – ou quase nenhum – conhecimento de tecnologia, possam, de maneira intuitiva, ter o veículo de comunicação para expressar suas opiniões e divulgar gratuitamente seus interesses, sem ter de passar pelos meios tradicionais, como rádio, jornal e televisão.

As redes sociais começaram com o objetivo de integrar pessoas, e a maioria delas usa as redes sociais para falar com os amigos e a família, para conhecer pessoas novas e formar outras amizades; vem daí a expressão *rede*.

Embora no início fossem restritas ao público jovem, as redes foram se expandindo, cada uma com seu perfil de funcionalidade, e hoje atingem pessoas de todas as idades.

O que faz as pessoas estarem tão conectadas? A falta de tempo, a funcionalidade da tecnologia, a facilidade de comunicação e informação, entre outros benefícios.

Um dos grandes fatores de estímulo para o uso das redes é interagir com pessoas, dar e buscar opiniões. É dessa contribuição mútua que o vendedor digital deve fazer parte!

Pesquisas da IDG Now! apontam que, antes de comprar, cerca de 70% dos usuários procuram nas redes sociais comentários sobre produtos e serviços nos quais estão interessados, seja para comparar, seja para ver avaliações de pessoas que já adquiriram esses mesmos produtos e serviços.

Observando a rede como profissional de vendas, é importante constatar que os usuários também usam a internet para entretenimento, busca, lazer e para descobrir mais sobre promoções, cupons de descontos, entre outras tantas ações que têm sido feitas.

Criar e compartilhar um perfil pessoal são os principais recursos em uma rede social. Esse perfil normalmente possui uma foto, informações pessoais como nome, idade, sexo, local onde vive, além de preferências, como música, moda, livros, programas de TV, filmes, hobbies etc.

As redes sociais permitem postar fotos, vídeos e comentários, e muitas delas permitem também que você compartilhe links de sites, hotsites, que são sites promocionais, por exemplo, quando uma empresa desenvolve um site direcionado a um único produto ou evento, e blogs na sua página de perfil. No entanto, o recurso mais importante das redes sociais é encontrar e fazer amigos. Todos os seus amigos, aqueles que te seguem e os que você segue, todos estão lá.

A internet mudou o jeito de se relacionar com as pessoas, mas o surgimento do Facebook e de outras redes menores, que orbitam sobre essa rede social que se popularizou de modo astronômico, transformou completamente a vida das pessoas. O crescimento vertiginoso do número de usuários dessa rede chama a atenção e desperta o interesse de todos nós. Quase 2 bilhões de pessoas utilizam as redes sociais no mundo. No Brasil são cerca de 60 milhões de pessoas!

De acordo com o Instituto Brasileiro de Geografia e Estatística (IBGE), a população brasileira chegou a 198 milhões de pessoas, sendo 45% de internautas, segundo o Ibope. A parcela de usuários brasileiros de internet que acessam as redes sociais é alta, somando quase 60 milhões de pessoas.

Um estudo divulgado em julho de 2013 pelo Ibope, realizado em parceria com a Worldwide Independent Network of Market Research (WIN), mostra que 87% dos internautas brasileiros acessam redes sociais. Esse número tende a crescer ainda mais, considerando-se que 20% da população entrevistada diz pretender entrar nesses sites em um futuro próximo. Os números colocam o Brasil na décima posição entre os países que mais acessam sites como Orkut, YouTube, MSN, Twitter, Facebook e LinkedIn.

Entre os brasileiros entrevistados, 33% declararam que acessam redes sociais por motivos profissionais. O índice é superior ao da média mundial, que está em 25%. Contudo, a grande maioria dos brasileiros é levada para esses sites por razões pessoais (83%).

Com cerca de 30 milhões de visitantes em um único mês, a rede social do Google ainda tem larga vantagem sobre Facebook e Twitter.

Empresas e vendedores precisam acompanhar os movimentos das redes, a criação de novos ambientes, as interfaces e o comportamento dos usuários. Desse modo, para usar a linguagem da internet precisam estar antenados e presentes nessa plataforma e canal. E é assim que as coisas começam a ficar interessantes para quem quer realizar vendas on-line.

Para se ter uma ideia do tamanho dessa oportunidade, de acordo com a pesquisa feita pelo ComSocre, plataforma de análise do mundo digital, 85% da população on-line do mundo pode ser alcançada por meio das mídias sociais.

As pessoas gastam muito tempo nas redes sociais e compartilham muitos conteúdos e experiências positivas e negativas de compras. Com isso, o esforço e o investimento de qualquer vendedor nesse contexto será inicialmente para angariar curtidas, comentários e compartilhamentos naquilo que ele divulga. Depois disso, desde que o vendedor conheça o ambiente em que está, os seguidores passarão também a ter interesse e confiança de comprar seus produtos.

Os ambientes sociais da vida real (clubes, associações etc..) são propícios para que todo tipo de vendedor se comunique com seu público diretamente para fazer marketing, promover produtos, serviços, promoções, ofertas e, principalmente, fortalecer a sua marca. Imagine todos esses ambientes sociais reunidos em um único local? As redes sociais!

Quando alguém compra um produto do qual se orgulha, ou que era objeto de desejo, ou parte do universo dos amigos, é comum mencioná-lo em seu perfil social, postar uma foto, ler os comentários dos outros etc. Alguém que leu um livro geralmente extrai uma frase, faz a postagem e dá a referência. Tudo nas redes sociais é superlativo, ou seja, "muito". Se é uma roupa da cor da moda, está lá para todos verem. E todos querem saber onde a roupa foi comprada. Enfim, as redes sociais são a vitrine em que seu produto precisa estar exposto.

É preciso que você tenha em mente que estamos em pleno movimento de revolução das mídias, e o que importa é como as pessoas se conectam, aprendem, falam, tomam decisões. O desafio trazido para o mundo das vendas nesse novo contexto é entender a dinâmica dos relacionamentos que estão se formando entre as pessoas, para que elas possam se inserir dentro dessa rede, posicionar sua marca, seu produto ou serviço e, claro, de maneira efetiva vender mais e fidelizar o cliente.

Contudo, atenção, não dá para abraçar todas as redes sociais. Identifique onde está o seu público-alvo e centralize os esforços e investimentos nela.

Lembre-se que não estamos lidando somente com uma "rede mundial de computadores", mas com uma "rede mundial de pessoas", interligadas por meio de diversos tipos de aparelhos. São os humanos que agem, espalham informações e compram.

5

O novo consumidor

ESQUEÇA AQUELE CONSUMIDOR QUE NÃO SABIA O QUE ESTAVA ACONTECENDO na cidade ao lado. Agora todos sabem, em tempo real, o que os alemães estão usando, qual cor de carro está fazendo sucesso na Austrália, qual creme as mulheres francesas estão usando, qual tipo de gravata está na moda em Londres.

O consumidor mudou. Ele sempre foi cortejado pelos vendedores, mas eram os vendedores que levavam as informações sobre os produtos. Ele sempre foi "o todo poderoso" que os vendedores paparicavam, mas agora, além disso, ele também tem voz, e ela é alta! E isso é suficiente para causar uma grande revolução na maneira de comprar e de fazer negócios.

O novo consumidor brasileiro não é o mesmo de até bem pouco tempo atrás. Ele hoje tem mais informação, cartões de crédito à disposição, é mais exigente e dá valor a detalhes que já não podem ser ignorados. O brasileiro de hoje gosta de coisas mais refinadas, praticidade, e rejeita produtos de má qualidade.

Como age o velho consumidor diante da velha mídia? A maioria continua passiva e dizendo "sim, senhor" para as campanhas tradicionais como a "Compre Batom... Compre Batom...", e bastante fiel às marcas que já usa há anos, não tem interesse em mudar nem descobrir coisas novas.

Já os consumidores modernos agem pró-ativamente e encontram as melhores opções conectando-se com outros consumidores. Dependendo do que se queira comprar, pode-se fazer uma pesquisa pelo celular, tablet ou computador mais próximo em vez de procurar na rua ou em um shopping.

Muitas vezes, o consumidor pesquisa preços pelo celular de dentro da loja ou busca informações sobre um produto que está na frente do vendedor. Principalmente as categorias de produtos que adotaram mais lentamente a internet, para os quais de fato existe a preferência em pesquisar on-line e comprar off-line, como móveis e imóveis – ainda mais da metade desses itens são pesquisados on-line, mas a grande maioria é comprada off-line. E isso também é uma oportunidade para vender mais!

Os compradores gastam mais tempo on-line. Segundo a pesquisa do CEB, programa anual de pesquisa e desenvolvimento, 57% do processo de compra é concluído antes de o comprador interagir com qualquer vendedor. Isso significa que o comprador está pesquisando antes de entrar em cena. Por isso, 65% das empresas do mundo já estão utilizando os recursos das mídias sociais para se antecipar e retomar o processo da compra.

O desejo dos consumidores em adotar novas tecnologias significa que uma estratégia digital de vendas presencial ou on-line deve ser um componente central de qualquer negócio nos setores de varejo, bancos, indústria e prestação de serviços.

Os vendedores precisam implementar estratégias que lhes permitam interagir com o mesmo cliente em todas as plataformas de vendas, assegurando a consistência na experiência do cliente, independentemente do que esse consumidor esteja comprando e se está comprando on-line ou de forma presencial.

O que vai determinar vencedores e perdedores nas vendas para esses novos consumidores é a apresentação de razões convincentes e de conteúdo para que eles compartilhem informações sobre você e sobre o seu produto ou serviço. Quanto mais direcionada e personalizada for a interação com o consumidor, mais vendas você fará.

Contudo, atenção: quase metade dos consumidores que pertencem à geração mais nova acredita que está mais bem informada do que os vendedores. Os compradores jovens afirmam ser mais fácil localizar as informações a partir dos seus dispositivos móveis do que perguntando a um vendedor.

Ou seja, o vendedor precisa se adaptar e se preparar para o novo consumidor e para enfrentar a realidade atual. Ter vendedores sentados em sua loja esperando o cliente entrar para comprar pode ainda funcionar para o seu negócio, mas saiba que o consumidor que está indo até sua loja pode saber muito mais do que você ou seu vendedor, inclusive sobre preços.

Então, o que está esperando? Vai começar a se preparar para vender mais!?

6

A divulgação de produto e serviço no mundo virtual

COMO FALAMOS NOS CAPÍTULOS ANTERIORES, A NOVA GERAÇÃO DE consumidores é exigente. Ela quer informação. Quer conteúdo. Quer ver consistência no que você diz, até porque ela tem todas as informações que quiser on-line, para fazer pesquisas e ver se o que você oferece e o que entrega tem o mesmo valor.

Se você ainda não está fazendo isso, está atrasado. Não perca tempo e planeje ações on-line, pois é uma forma de manter contato, expor sua empresa, mostrar ao mundo virtual os produtos que tem a oferecer e gerar vendas. Simples assim!

No entanto, entrar no mundo virtual requer cuidado. Escolha em que tipo de rede você quer entrar, e planeje sua apresentação.

Se for fazer um perfil empresarial, seja claro nas informações e coloque o nome da empresa, o endereço, o telefone para contato e o e-mail. Saiba, porém, que esse será um canal de acesso para clientes ou novos clientes, seja para compras, elogios, reclamações, informações, orçamentos, seja até mesmo para pesquisa de preço, para oferecer um produto similar por um preço menor. Por isso, fique atento e disponível.

Para uma empresa, a importância de ter um perfil em uma rede social é de valor imensurável. Ali é possível ficar a par da satisfação de seu cliente, se os departamentos responsáveis (ou pessoas) de cada área estão cumprindo seu papel e entregando o que prometem, como os seus concorrentes estão agindo e como você está aparecendo nas mídias sociais por meio de ferramentas de busca.

É muito importante que você esteja conectado o tempo inteiro. Como dissemos anteriormente, se você não der uma resposta rápida, o consumidor vai atrás de outra empresa, de outro lugar que vende o mesmo produto, fará a barganha de preço e você perderá o cliente.

Conhecemos um casal que estava procurando arandelas para colocar na varanda do jardim. Tinham pressa. Queriam fazer a instalação no final de semana. Sentaram-se diante do computador e começaram as pesquisas. O site que o casal mais gostou, não deu resposta imediata. Para encurtar a história, vendeu quem respondeu primeiro.

Então, lembre-se sempre que uma regra de ouro é: esteja conectado! Crie o hábito de olhar sua página, site ou link de contatos com a mesma frequência que você verifica e-mails. De preferência, coloque um alerta em seu celular, tablet ou computador para avisar sempre que entrar uma mensagem.

Outra regra de ouro: responda as mensagens. Todas elas. Mesmo as que você considerar irrelevantes para seus negócios. Na rede social, as críticas e os elogios se propagam com muita rapidez e você pode, por um simples esquecimento –

para não dizer descaso – perder a chance de fazer um bom nome no mundo virtual e efetuar muitas vendas.

Só para ilustrar, conhecemos uma senhora que comprou um computador de uma marca famosa. O site da empresa tinha um e-mail para contato. A *fanpage* da empresa também mostrava as maravilhas dos lançamentos. E eles anunciavam para todo o mercado virtual que o grande diferencial deles era o serviço de assistência técnica em casa. Uma semana depois, o computador dessa senhora deu problema. Ela entrou no site e fez contato por e-mail. Entrou na *fanpage* e deixou uma mensagem. Passou-se uma semana e ninguém retornou nenhuma das mensagens. Ela tentou o telefone do serviço de atendimento ao consumidor. E começou a postar diariamente na *fanpage* da empresa a sua insatisfação. Como os comentários ficam expostos para quem quiser visitar a página, ela acabou estimulando outras pessoas que tinham o mesmo problema a reclamar também. A empresa não conseguiu ignorar tantas reclamações, mas demorou demais para tomar uma atitude. Hoje, essa senhora diz para quem quiser ouvir: "Não compre essa marca. Olhe na página deles quantas reclamações dos produtos eles tiveram. E o pior, eles não atendem".

Além disso, é muito importante que, ao criar o seu perfil, você tenha em mente qual público-alvo você quer atingir.

Para fazer marketing de seu perfil, site ou do que você tenha decidido fazer, entre em grupos ou comunidades que estejam de acordo com seu nicho de mercado e escreva em tópicos e enquetes sobre o que está promovendo – logicamente deixando um contato ou um link para seu site no final da divulgação.

Você pode usar seu perfil para divulgar dicas, novidades, informações úteis ligadas ao seu produto ou serviço e lançamentos de produtos. Sempre que lançar um novo produto ou começar a prestar um novo serviço, poste ao menos uma vez ao dia um pequeno texto ou use o recurso a seu favor divulgando serviços para amigos e clientes com anúncio via imagem digital.

Imagine uma corrente cheia de elos. É assim que você deve entender e buscar oportunidades para vender mais, por exemplo, se você é vendedor de carros e uma pessoa gosta ou fala de carro nas redes sociais e tem muitos amigos ou seguidores que comentam esse assunto, saiba que ali pode ser um ninho de potenciais clientes.

Outro cuidado que você tem de ter é com o que escreve. Quem produz conteúdo está o tempo todo colocando seu conhecimento à disposição da crítica das pessoas e, por isso mesmo, à prova da opinião alheia. Lembre-se que uma mídia negativa também vai correr tão rápido quanto uma positiva, por isso é importante divulgar apenas conteúdo, imagens, fotos e vídeos de qualidade, que tenham autorização de seus criadores e que não tenha duplo sentido, para não gerar polêmica sobre o que você realmente quis dizer. Ao mesmo tempo em que se está sujeito a cometer erros e receber críticas, quem produz conteúdo é visto como referência, como alguém que entende bem do assunto e que conhece sobre o que está escrevendo. E esse é o momento que você pode aproveitar para vender. Ou seja, a maneira como você expõe seu produto, como valoriza o que está vendendo, sem tentar enganar as pessoas, é o que vai dar a tônica do sucesso.

Lembre-se que as mídias sociais são abertas e são um mecanismo para que as pessoas façam críticas caso se sintam enganadas. Então, transparência acima de tudo!

Pense em criar um material de qualidade e que instigue a pessoa a ver o que você postou, esse é um dos melhores recursos de divulgação para um vendedor digital. Tendo isso em mente, você deve estar atento aos seguintes passos para obter bons retornos:

1. Escreva de maneira clara e concisa. Na mídia social, o impacto de um texto curto causa muito mais efeito do que textos longos e explicativos.
2. Leia, leia e leia novamente antes de postar. Um erro de digitação ou um erro de português e a seriedade do seu trabalho será questionada.
3. A atenção às imagens – fotos, ilustrações, desenhos, esquemas etc. – deve ser redobrada. Elas têm de ser fiel ao produto que você está oferecendo. Qualquer imagem que possa causar dupla interpretação pode levar a um resultado desastroso para seu produto.
4. Só fale de assuntos que você conheça bem. Se houver alguma pergunta mais específica que você não saiba responder, pesquise antes de escrever qualquer coisa. As informações que você colocar em sua página, site, ou seja lá qual for o tipo de comunicação que você escolher, têm de ser de seu completo domínio. Dar informação errada é passar por "enrolão". E ninguém quer se sentir enrolado, principalmente nas mídias sociais, onde os consumidores ainda não têm 100% de confiança.

5. Nas mídias sociais sempre existe uma grande ajuda mútua. Por isso, procure quem sabe, quem entende bem de uma área que você não domina e faça parcerias. Os seus conhecimentos podem ser ouro em pó para alguém; assim como o conhecimento de outra pessoa pode dar uma alavancada muito boa em seus negócios.

6. Despertar interesse, instigar seu pretenso cliente é começar a tornar seu negócio bem-sucedido. Por isso, você precisa utilizar cores, imagens, frases, textos, títulos sempre chamativos e interessantes.

7. Gere conteúdos com temas relacionados ao produto que você vende. Se você é vendedor de perfumes, por exemplo, pesquise na internet quais tipos de perfume combinam com o dia, a noite, a pele, qual quantidade é ideal para se usar etc. Você encontrará links muito interessantes na internet. Se você compartilhá-los, mais pessoas verão o seu produto!

8. Muito importante: nunca copie conteúdo de outros sites. Se você quiser colocar o link, conforme sugerido no item 7, perfeito, pois ao acessar o link que você recomenda, o usuário entrará no site de outra pessoa, o que é plenamente satisfatório. Tornar seu, ou seja, copiar, o conteúdo dos outros é plágio e é passível de processo. Além de desmoralizar a sua página ou o seu site.

9. Compartilhe frases famosas, mas dê crédito aos autores. Compartilhe também trechos de textos

que você considera interessantes, mas dê o link para que a pessoa possa visitar o site ao qual você se refere. Complemente o conteúdo da sua página o máximo possível.

10. Por último, e não menos importante, assim como um vendedor físico tem de estar em contato com o seu cliente, um vendedor digital precisa atualizar sua página todos os dias. O usuário ou cliente tem de entrar na sua página e ver que tem novidades. Por exemplo, se você comercializa roupas de bebê, coloque a cada dia uma dica de como conservar as roupas, como escolhê-las para recém-nascidos, fazer a mala para a ida à maternidade. Contudo, atenção, você não precisa escrever apenas sobre o assunto "roupas", você pode dar dicas de como cuidar do bebê no verão, qual a melhor postura para dar mamadeira, se é aconselhável usar andador, entre outras dicas para o cuidado do bebê. Todos esses assuntos você encontra na internet e pode dar o link para que o cliente veja a página. Você, além de agregar conteúdo ao seu site, também está compartilhando informações de outra pessoa. Vocês estão formando uma rede de conteúdo para esse nicho.

Seguir esses princípios é um excelente começo para que você dê credibilidade à sua página e ao conteúdo que disponibiliza. Se o seu conteúdo na web já resolve 90% das dúvidas da pessoa que está do outro lado da tela, então cumpre a função da rede social. No entanto, se houver uma pergunta que seja do usuário ou do cliente, responda o mais breve possível, com consistência, relevância, para que a pessoa que está do outro lado perceba a sua seriedade e o seu conhecimento no ramo de negócios em que trabalha.

Lembre-se que fazer divulgação no mundo virtual é muito fácil, se você seguir os princípios básicos de atualizar sua página diariamente, o internauta sempre voltará para ver o que há de novo.

7

Tipos de divulgação de produto e serviço no mundo virtual

ALÉM DE DIVULGAR POR MEIO DAS ATUALIZAÇÕES FREQUENTES DE sua página, você pode usar gratuitamente blogs e páginas do Facebook de outras pessoas ao fazer comentários e deixar o link da sua página, pode fazer coparticipações com outros vendedores digitais, para que um divulgue o que o outro está fazendo. Enfim, há uma infinidade de mecanismos que você pode usar para divulgar seu produto. Muitos deles estão ligados a aplicativos para Iphone, Ipad e Androids. Por isso, repetimos: a palavra de ordem para os vendedores digitais que querem divulgar bem o seu produto é: esteja conectado!

Existem várias formas de divulgar seu produto pela internet, mas tudo depende de:

- Quanto você quer investir?
- Quanto tempo você tem para se dedicar às ações na internet?
- Qual o tamanho da sua empresa ou do seu negócio?

Se for uma empresa pequena, ou um negócio que você está começando, vale fazer tudo gratuitamente ou com um custo baixo. E há inúmeras opções. Sugerimos partir para um plano em que sua empresa apareça bem posicionada nos resultados dos buscadores e comparadores (SEO), pois continua sendo uma estratégia vencedora com baixo investimento. Outra forma é entrar em programa de afiliados, mas escolha bem e leia as probabilidades de retorno de cada sistema.

Outra possibilidade de divulgação e vendas é usar os sites já existentes e consolidados, como Mercado Livre (www.mercadolivre.com.br), que é o maior mercado on-line brasileiro onde milhares de pessoas se encontram para comprar e vender produtos.

Outro sistema interessante e gratuito é o Toda Oferta da UOL (www.todaoferta.com.br), que funciona muito bem para quem tem ou não loja virtual, pois a divulgação é gratuita. Você pode personalizar seus anúncios com imagens e vídeos, inserir até seis fotos e ser visto por mais de 5 milhões de pessoas que visitam a UOL todo mês.

Contudo, para que você tenha uma estratégia de marketing eficiente, para que exponha bem seu produto ou sua empresa, é preciso definir um objetivo! É importante, no entanto, entender qual o retorno esperado com a divulgação ou o marketing digital:

- Você quer vender mais?
- Precisa converter mais da metade das visitas em vendas?
- Quer divulgar uma marca?
- Quer ser conhecido?

Enfim, para uma boa estratégia, é preciso entender qual o objetivo principal da ação de marketing. Dessa maneira, você trabalhará as oportunidades que a mídia digital fornece de maneira assertiva:

- Criação e divulgação de vídeos.
- Links patrocinados em buscadores e comparadores.
- Anúncios em redes sociais e sistemas de gerenciamento de publicidade.
- E-mail marketing.
- Programa de afiliados e/ou sistemas de gerenciamento de publicidade.
- Banners em sites direcionados para o tipo de negócio em que atua.
- Banners em sites de visibilidade e grande visitação.

Caso já haja um site da sua empresa e/ou negócio em que atua, é muito importante fazer o link com as mídias sociais. Ter um webchat (ferramenta para conversas on-line), por exemplo, é um ótimo canal para atrair a atenção e manter a comunicação.

Lembre-se que o primeiro passo em divulgação de um produto não é a venda em si, e sim a fidelização do cliente. Conversão em vendas é importante? Com certeza, mas fidelizar os seus amigos e os amigos dos seus amigos nas redes sociais também é, e isso só acontece a médio e longo prazo se você percorrer o caminho de maneira correta. Nada de pular etapas!

8

Os buscadores e as ferramentas que ajudam a vender mais – como aproveitar a força do buscador Google

QUAL A IMPORTÂNCIA DOS BUSCADORES NAS NOSSAS VIDAS? SIMPLES: no Brasil, tudo é pesquisado e perguntado ao Google!

Já parou para pensar que até número de telefone de estabelecimentos ou de pessoas pesquisamos no Google? Que estamos usando muito menos o catálogo de telefone impresso? Imagine, então, quantas consultas de produtos e serviços são feitas por minuto.

Todo vendedor deve ter uma conta no Google e usar todas as ferramentas gratuitas agregadas a ele, seja para aparecer melhor posicionado nas buscas, seja usando o e-mail do Gmail, guardando arquivos no Google Drive, compartilhando informações no Google+ ou mesmo fazendo sua agenda na ferramenta integrada. (Se você não sabia que o Google possui todas essas ferramentas, corra e comece a fuçar!)

E você já parou para pensar quais são os mecanismos que pode utilizar para ser mais visto na internet? O fato é: os recursos mais utilizados na internet são as buscas. As pessoas procuram de tudo: de receita de bolo até preço de carro, da previsão do tempo ao guia de instalação de algum aparelho, da novela à música do momento.

O Google se tornou o dicionário preferido dos brasileiros! E não é para menos. Você pode encontrar quase tudo lá.

As ferramentas de buscas são a porta de entrada da internet, e o Google é a ferramenta que praticamente domina o mercado brasileiro com mais de 90% de participação. E como são inseridas e organizadas todas essas informações? Como é determinada a ordem de apresentação dos resultados? De onde vêm as informações?

A alimentação dos dados é feita pelas pessoas que criam os conteúdos por meio de blogs, artigos, sites, redes sociais etc. O Google tem o papel de armazenar e filtrar, por meio de seus algoritmos, todas essas informações e apresentar o resultado mais relevante para aquela busca específica. O papel do buscador dentro da internet é servir de filtro para o usuário nesse oceano de informações que a internet disponibiliza. Relevância é a palavra de ordem na internet, pois as pessoas só dão atenção para o que é relevante.

Você já digitou seu nome no Google para ver o que aparece? Se não aparecer nada, tenha certeza de que você é um "alienígena digital", um ser pouco explorado e desconhecido da grande maioria. Se você aparece pouco ou mal posicionado é porque não está se portando ou aparecendo adequadamente no ambiente. A sua "encontrabilidade" é de fundamental importância para vender seus produtos e serviços.

Você deve estar se perguntando: Como ser encontrado? Como inserir meus dados na rede? Fácil:

1. Comece fazendo uma conta no Google.
2. Insira suas informações pessoais no seu perfil.
3. Abra uma conta de e-mail.

A partir daí, se você, por exemplo, tiver uma oficina mecânica em uma cidade e quiser aparecer nas buscas por "oficinas na sua cidade", basta acessar pela sua conta a ferramenta do Google Maps e posicionar gratuitamente o endereço de sua oficina. A partir disso, quando alguém procurar uma oficina no bairro em que a oficina foi cadastrada, ela aparecerá como opção para o cliente.

É importante que você saiba que quanto mais alguém procurar você ou sua empresa pelo Google, mais você vai "subindo" nos rankings de preferências.

Há também outros buscadores, como o Ask.com e o Bing, que detêm uma parcela pequena do mercado, mas que no mundo digital não deve ser desprezada.

As pessoas querem resposta em tempo real e isso muda a forma com que tudo é pesquisado e procurado no ambiente real ou virtual. Portanto, a busca on-line é muito importante para o seu negócio.

Se gostar de escrever, faça um blog na ferramenta Blogger ou Wordpress e use Tags (palavras-chaves) para que quando alguém pesquisar essas palavras seu artigo seja encontrado. É claro que existem empresas e serviços especializados e pagos de Search Engine Marketing (SEM) e Search Engine Optmization (SEO), ferramentas para melhorar o posicionamento daqueles que contratam esses serviços em buscas, e de publicidades avançadas que servem para deixar você e seu negócio muito bem-colocados nas primeiras páginas de pesquisas do Google.

No entanto, mesmo de maneira gratuita existem muitas ferramentas disponíveis e diversas maneiras de ser encontrado.

É importante você saber que nos Estados Unidos, mais de 80% de todo tráfego no e-commerce, ou comércio eletrônico, é proveniente de alguém que clicou em um link por meio do Google para chegar a uma loja virtual. No Brasil não é diferente.

Em ferramentas e serviços como o Google AdWords Express, serviço para anunciar na rede de pesquisa do Google, Google Maps e em aparelhos móveis, é possível atrair clientes potenciais diretamente para o seu negócio. Esse é um produto diferente do Google AdWords padrão, também ferramenta para anúncio na web, pois permite que você exiba anúncios ligados à pesquisa de serviços locais feita pelos clientes. O Google AdWords Express oferece a você uma abordagem mais prática: você estabelece um orçamento, escolhe as classificações de publicidade com base em seu produto ou em seus serviços, cria sua mensagem de anúncio e deixa os sistemas automatizados fazerem o resto.

Se você ou a empresa em que trabalha tem uma loja virtual, aconselhamos utilizar os serviços gratuitos do Google Shopping, que é uma ferramenta de busca que permite a comparação de preços, produtos e fornecedores. O buscador oferece um serviço aos lojistas que consegue enviar as informações sobre os produtos de sua loja para que sejam exibidos nos resultados do comparador de preços. Para os comerciantes, esse é sem dúvida um recurso excelente.

9

Oportunidades de ampliar as vendas

"COMO FAÇO PARA VENDER PELA INTERNET?" OU "O QUE FAÇO PARA divulgar minhas empresas nas redes sociais?"

Mais que um instrumento de vendas, a internet é uma comunidade. Para conquistá-la, é preciso usar as ferramentas certas, ter equilíbrio e boa dose de bom senso. Hoje, há muitos vendedores que veem seus empreendimentos crescerem sem ter de gastar enormes quantias em publicidade tradicional. O segredo? Eles estão utilizando corretamente as redes sociais para conquistar novos clientes. Por isso, quanto mais conhecimento você tiver de marketing em redes sociais e entender como manter e ampliar as vendas, mais vai ganhar com seus negócios.

Atualmente, não basta apenas vender, é preciso vender socialmente. A venda é resultado da interação feita de pessoas para pessoas e não somente de marcas para pessoas. Como já dissemos neste livro, as redes sociais como o Facebook e o Twitter funcionam não só para aumentar as vendas, como também para cativar e fidelizar clientes.

A verdade é que a relação mais humanizada e a interação com os usuários podem, sim, se converter em retorno financeiro e vendas. Assim, pense e faça um planejamento antes de começar. Pesquise quais mídias funcionam para seu negócio, conheça o público que você quer atingir e defina como vai interagir com ele. Quando se publica qualquer coisa nas redes sociais, a primeira impressão é a que fica. Então, tenha certeza de que a casa está arrumada antes de abrir as portas.

Tenha cuidado na hora de escolher as palavras-chaves para que o cliente potencial não se sinta enganado, selecione as melhores fotos do seu produto e dê informações detalhadas caso você decida fazer um site, um blog ou uma página na internet.

Não venda, ajude os outros a comprar. Se for vender, venda a solução! A abordagem centrada no comprador deve passar a percepção de que você se preocupa com os problemas reais, aqueles que eles têm. Mostre que você pode oferecer o que eles precisam, com segurança e confiança. Os compradores não se importam com o seu produto, eles se preocupam com a solução dos problemas que têm. Sua marca pessoal e as informações que você compartilha devem refletir isso.

O seu marketing no ambiente das redes sociais pode atingir muitas pessoas de maneira diferente das outras mídias. Esse é o lugar onde você constrói presença constante e gratuita. A sua informação ou postagem pode repercutir durante muito tempo, ajudando a gerar vendas.

Crie formas de incentivar a multiplicação de amigos para ampliar seu networking e suas chances de negócio. Existem sistemas nos quais o usuário consegue "importar" seus contatos das principais redes para agrupamento em um aplicativo.

Seja atuante. Compartilhe informações para que sua rede de amigos e clientes potenciais cresça constantemente. Se você não divulgar o que faz, o que tem a oferecer, no que trabalha, ninguém ficará sabendo.

Sua atuação nas redes sociais é o que fará com que cada vez mais pessoas visitem sua página, seu blog, seu site ou sua loja virtual.

As ações de divulgação nas redes sociais podem produzir o que chamamos de *leads* (indicações), que geram mais acessos na loja, criando maior potencial de vendas. Caso você não tenha uma loja virtual e venda apenas em lojas físicas ou no porta a porta, faça a divulgação do que você vende de maneira sutil, elegante e atrativa, como já mostrado nos capítulos anteriores.

Promova ações direcionadas a pessoas específicas: se vai mandar e-mail, chame a pessoa pelo nome, escreva corretamente, utilize recursos de arte, ou seja, atraia seu cliente, mas com cortesia. Ele certamente se lembrará de você.

Alguns vendedores mais antenados já começaram a experimentar algumas ferramentas das mídias sociais. Vendedores B2B (do segmento corporativo) estão começando a se conectar com os contatos no LinkedIn e acompanhar os clientes pelo Twitter.

Vender diretamente no ambiente on-line e criar uma simples loja virtual é muito fácil. Com apenas alguns cliques você cria e atualiza sua loja gratuitamente. Basta utilizar, por exemplo, o site da BPG (www.bpg.com.br) que não cobra nada. A confecção do seu site e a hospedagem são gratuitas, e você não precisa pagar taxas ou comissões. Você só paga um percentual das operadoras de cartões e do facilitador PagSeguro. É só acessar, fazer o cadastro e seguir o passo a passo para colocar sua loja no ar.

Outro serviço disponível para criação de lojas virtuais gratuitas é o Primeiro E-commerce (www.primeiroecommerce.com.br), que é o resultado de uma parceria entre o Sebrae e o Mercado Livre.

Você também pode usar a LikeStore, que é uma ferramenta para criação de loja virtual dentro do Facebook. Para criar uma conta, primeiramente você precisa ter uma *fanpage* do seu negócio. Depois disso, é necessário entrar no link https://apps.facebook.com/likestore-admin/ e fazer o seu cadastro. Assim como a BPG, a LikeStore não cobra pela confecção da loja no Facebook e nem hospedagem, cobra apenas uma taxa de 2% de comissão mais o percentual das operadoras de cartões e do facilitador MoIP, sistema similar ao PagSeguro para pagamentos on-line.

O ideal é entender como cada ferramenta digital funciona, a melhor maneira de trabalhar a informação em todas elas e também saber qual delas seu consumidor mais utiliza. Faça experimentações até encontrar a ferramenta ideal para fidelizar seu cliente e procure unir informação, detalhamento do produto, imagens atraentes e compartilhamento de informações relevantes.

Promova aquilo que você ou sua empresa acredita e o que representa. Lembre-se que nem todos vão gostar, mas vai atrair o tipo de pessoa que já está alinhada com o que você tem para vender. Os clientes e suas prospecções estão sedentos por informação especializada de alta qualidade e querem ser compradores inteligentes e informados. Como resultado, os clientes vão gerar informação com ou sem a sua participação e seu envolvimento, mas seria ótimo que você fizesse parte disso.

Tome cuidado para não saturar o consumidor com mensagens e ações. Envie-as somente para os que se tornaram "contatos" da empresa e não utilize spam, por e-mail ou via redes, pois isso prejudica a credibilidade do negócio. Estamos criando fidelidade de relacionamento e, por consequência, vendas. Portanto, ser inoportuno nesse momento é afastar clientes.

Faça promoções e sorteios com ações específicas para cada tipo de rede. Prepare cupons e tickets para incentivar as vendas no comércio eletrônico ou em lojas físicas. Utilize promoções "relâmpago", rápidas e que estimulam o cliente a tomar a decisão de compra na hora. O medo da perda de oportunidade continua sendo um grande aliado. Dê prêmios e benefícios ao internauta que o ajudou a vender.

Use a estratégia do "amigo premiado" que funciona muito bem. Quem inserir um banner, mandar mensagens ou outras ações que promovam a empresa pode ser selecionado para ganhar prêmios a qualquer momento.

O marketing de vendas que utiliza a força da internet passa por essas dicas. Os vendedores podem potencializar muito os seus resultados com as redes sociais.

É preciso ser estratégico, criativo, inovador e ousado. Tudo isso somado à busca e à fidelização de clientes, além da atualização diária de sua página nas mídias sociais, vai fazer com que o boca a boca virtual, o compartilhamento, torne seus negócios muito mais vistos do que em publicidade convencional.

Então, vamos recapitular o passo a passo para vender on-line:

1. Escolha a rede social que seus clientes utilizam – é essencial que você esteja no lugar certo.

2. Elabore estrategicamente o conteúdo que deverá disponibilizar para atrair os usuários da rede, seus potenciais clientes.

3. Analise qual ferramenta usará para criar a loja; se seus clientes estão no Facebook, talvez a melhor opção seja a LikeStore.

4. Invista em promoções, parcerias e outras propostas que façam o usuário interagir com a página.

5. Mantenha a página sempre atualizada.

10

Como conquistar amigos e seguidores

O CANTOR ROBERTO CARLOS, EM 1974, QUANDO COMPÔS COM SEU FIEL companheiro Erasmo Carlos a música "Eu quero apenas", já profetizava e cantarolava aos quatro cantos que poderíamos ter 1 milhão de amigos. Pois é, na época a poesia era apenas uma analogia a fazer o bem e se sentir bem. A música era um dos veículos para divulgar a vontade que ele tinha de espalhar seus sentimentos a mais e mais pessoas.

> *Eu quero apenas olhar os campos, eu quero apenas cantar meu canto... Eu só não quero cantar sozinho, eu quero um coro de passarinhos... Quero levar o meu canto amigo a qualquer amigo que precisar... Eu quero ter um milhão de amigos e bem mais forte poder cantar... (CARLOS; CARLOS, 1974)*

Hoje, se somarmos todos os perfis das redes sociais do rei Roberto Carlos, percebemos que ele conseguiu, com ajuda da internet, bem mais que o "1 milhão de amigos" que ele tanto queria nos anos 1970.

Enfim, comparações à parte, essa possibilidade de conquistar muitos amigos nas redes sociais não é somente para um cantor como o Roberto Carlos. Existem vários perfis com 1, 2, 3, 4, 5 milhões de amigos virtuais no Brasil e no mundo. A relevância social não é privilégio somente de celebridades, mas de qualquer pessoa que tenha conteúdo ou alguma coisa que interesse a muitas pessoas – basta ser reconhecido como tal. Você, por exemplo, pode ter muitos milhões de amigos também! Bem, essa condição de se tornar popular na internet criou uma espécie de corrida pelo "ouro" nas redes sociais para ter seu nome conhecido e, por que não, seu próprio canal de divulgação e propagação de informações que queira compartilhar.

Imagine o potencial de divulgação de uma pessoa que tem 1 milhão de amigos e seguidores? Torna-se um canal importante e próprio para propagar qualquer coisa, inclusive para vender.

Na verdade, você não precisa de seguidores, precisa de influenciadores nas redes sociais. Ter influência sobre as pessoas que podem republicar e compartilhar a sua mensagem. Contudo, isso não se conquista apenas atraindo atenção para você, mas promovendo atenção e valor para os outros. Como lemos neste livro, o importante não é somente o seu amigo, o que importa são os amigos dos seus amigos (a rede de contatos dele!).

Então, como conquistar influenciadores para suas redes sociais?

- Tenha um perfil completo com fotos, informações e dados.
- Crie conteúdo relevante.
- Siga pessoas influentes e líderes nas suas áreas de interesse.
- Recomende as pessoas.
- Escreva sobre alguma coisa que valha a pena ler. Ajude sempre e quem puder.
- Agradeça sempre.
- Faça sorteios e promoções.
- Dê dicas e mostre soluções e exemplos para alguns temas.
- Responda sempre para as pessoas que lhe fizerem alguma solicitação.
- Participe de comunidades e discussões.
- Compartilhe as postagens interessantes de seus amigos.
- Felicite seguidores nas datas importantes, como aniversário, dia dos pais, dia das mães etc..
- Não padronize mensagens.
- Não fale bobagens nem entre em polêmicas. Discutir o "achismo" é a pior maneira de você se apresentar perante as redes sociais.
- Converse, comente, interaja.
- Ofereça sutilmente seus produtos e serviços.
- Relacione-se com pessoas relevantes e famosas.

Ao usar as dicas anteriores, você verá seu número de influenciadores e seguidores aumentar rapidamente nas redes sociais. É, portanto, preciso que seu perfil desperte interesse no público virtual, que ele tenha algo a mais que os outros, pois assim atrairá o "olhar" de novos usuários. Quanto mais dinâmico seu perfil for, mais chances você terá de chegar a potenciais clientes e obter mais vendas.

A verdadeira função do seu marketing nas redes sociais é criar uma imagem positiva, fortalecer o relacionamento e criar vínculo com seus usuários e clientes. É nesse momento que você começa a ver os resultados. Clientes satisfeitos e identificados com você, sua marca, produto ou serviço, compram mais e indicam para seus amigos.

Além de todos esses métodos de como atrair mais seguidores, o fundamental é produzir muito conteúdo relevante, que atraia atenção. Se você é uma pessoa pública, que usa seu perfil em uma rede social como ferramenta de trabalho, evite misturar a vida pessoal com a profissional.

Postagens sobre o seu cachorro, sobre o seu banheiro ou uma balada, por exemplo, podem não ser relevantes para os seus seguidores. Por isso, caso você queira divulgar esse tipo de informação, em vez de postagens públicas, utilize as configurações de privacidade e compartilhe isso apenas com seus amigos do mesmo interesse.

Contudo, atenção: faça o máximo para evitar que seus contatos parem de segui-lo, deixem de ser seus amigos ou o bloqueiem nas redes sociais. As razões para uma pessoa ser bloqueada por outra normalmente são as atualizações frequentes sobre assuntos desinteressantes, repetições, assuntos polêmicos como religião e política e comentários grosseiros ou preconceituosos. Ficar apenas "empurrando" o seu produto ou serviço para as pessoas fará, em certo momento, que você seja ignorado.

Lembre-se que somente depois de conquistar a amizade e a confiança de uma pessoa é que você poderá partir para conversar com ela sobre a comercialização dos seus serviços ou produtos como profissional. Claro que se ela manifestar o desejo de fazer negócio imediatamente, você vai passar todas as informações possíveis para captar o cliente, mas seja objetivo e dê informações corretas.

Para ter clientes envolvidos em seu negócio, o vendedor deverá fazer o seu marketing de forma coerente. Antes de apresentar qualquer coisa para seus amigos nas redes sociais, converse com eles, demonstre interesse por eles, verifique suas necessidades e só depois ofereça o produto ou o serviço que comercializa.

11

O que você precisa saber sobre vendas por e-mail e que ninguém nunca lhe falou

O MERCADO MUDOU MUITO NOS ÚLTIMOS ANOS, E ESSA MUDANÇA pegou forte a nossa área de vendas. Coisas que davam certo no passado já não funcionam nos dias de hoje, e certamente as ações que hoje dão certo amanhã já terão se tornado obsoletas. Portanto, para garantir a perenidade das vendas, uma palavra tem de sair do seu vocabulário: acomodação!

O mundo mudou, os clientes mudaram e continuam mudando a cada dia. Com eles, mudaram também alguns hábitos de compra, surgindo assim novas oportunidades de vendas. Com a vinda da internet para nossas vidas, as fronteiras acabaram e hoje você não concorre mais apenas com a empresa ao lado ou com a cidade mais próxima da sua. Hoje você concorre com Estados Unidos, China, Japão, Índia, enfim, concorre com o mundo todo porque o que você vende pode, atualmente, ser comprado de qualquer lugar do mundo pela internet.

Você poderia estar vendendo para mais clientes de outras regiões? A resposta é: "claro que sim". E por que não está, então? Porque não está oferecendo, essa é a verdade. Se você oferecer, certamente venderá. Isso mesmo, é só oferecer que vende. Os clientes precisam comprar e, se você não oferecer, eles comprarão do seu concorrente.

De um lado a internet rompeu fronteiras e os e-mails de vendas proliferaram como um sinal de modernidade. No entanto, o uso em excesso de e-mails pode comprometer a credibilidade, cansar o cliente, saturar a informação ou tornar incômodo em vez de desejado.

Muitos vendedores e gerentes se confundem por falta de clareza ou mesmo de conhecimento e acabam generalizando o e-mail. Com isso, perdem força de vendas porque cada situação exige postura e detalhes diferentes para se conseguir o resultado desejado.

Para você se organizar melhor de agora em diante e aumentar seu poder de vendas, dividimos os e-mails nas seguintes categorias. São elas: e-mail personalizado, e-mail marketing, e-mail "matador" e e-mail resgate de clientes perdidos.

E-mail personalizado: É o e-mail individual e personalizado que se manda exclusivamente a um cliente. Ele pode ser frio, primeiro contato, ou quente, depois de ter falado com o cliente pessoalmente ou por telefone. É lógico que o e-mail quente tem mais chances de dar resultado, porque o cliente já está sabendo do que se trata e não o apagará como um mero spam.

E-mail marketing: Esse é o mais popular hoje em dia entre as empresas. Por ser uma forma de propaganda das mais baratas do mundo, tem sido usado de maneira absurdamente intensa, por isso muitas vezes os usuários programam para ir direto para a caixa de spam (daí a necessidade de o assunto do e-mail ser chamativo). É o e-mail para anunciar serviço ou produto para dezenas, centenas, milhares e até milhões de pessoas simultaneamente.

E-mail "matador": Também conhecido como "e-mail para pegar respostas". Usado quando você já apresentou uma proposta e está aguardando a resposta que nunca vem. Muito útil com clientes indecisos ou com aqueles acostumados a postergar.

E-mail resgate de clientes perdidos: É um e-mail estratégico usado como força extra de vendas, cujo objetivo principal é resgatar clientes inativos. É muito fácil de ser feito e sempre dá retorno.

Cada um dos quatro e-mails tem uma espécie de vida própria, de segredos e detalhes que entrarão na mente de seu cliente e ajudarão você a vender.

Nos próximos capítulos, você vai conhecer detalhadamente cada um deles e aprender como tirar o melhor proveito para atingir seus objetivos.

12

Campanhas de e-mail marketing

O E-MAIL MARKETING É CONSIDERADO UMA DAS VERDADEIRAS MARAvilhas do mundo moderno – quando bem utilizado. É a possibilidade de fazer divulgação e venda a muitas pessoas ao mesmo tempo a um custo muito baixo, praticamente irrisório.

O e-mail marketing é um e-mail padrão que enviamos a grande quantidade de pessoas praticamente ao mesmo tempo. Hoje, com banda larga e programas específicos para envios de número ilimitado de e-mails, com um único clique, você já está em contato com seus potenciais clientes.

Consideramos muito importante ter vários canais de vendas para não ficar refém de um único método. Os canais de vendas podem ser: telemarketing, malas diretas, panfletos, representantes comerciais, internet, e-mails marketing, entre outros. E, sem dúvida, o e-mail marketing é um canal de vendas muito interessante, seja para empresa, seja para vendedor individual.

Precisamos atacar por várias frentes porque onde você não estiver oferecendo, seu concorrente estará. Se o cliente não comprar de você, vai comprar de outra pessoa – isso é certo. Se oferecer, vende! Sempre haverá alguém precisando do que você tem para vender, esse é o ponto. Use o e-mail marketing para estar presente e ofertar para seus clientes, esse é um dos meios disponíveis mais baratos para divulgar e atrair consumidores.

Crie sua própria máquina de fazer dinheiro com e-mails marketing inteligentes. Você divulga, atende e vende.

DIVULGA ATENDE VENDE

Divulga no mercado e para seu público-alvo o que está vendendo, atende ligações ou retornos dos e-mails e fecha vendas. Se fizer isso em grande escala, fará fortuna, terá uma verdadeira máquina de fazer dinheiro em suas mãos e poderá ganhar quanto realmente quiser, sem enganações nem estratégias de marketing mirabolantes.

Para que sua campanha de e-mail marketing funcione, queremos salientar alguns pontos importantes:

a) Toda campanha eficaz de vendas por e-mail começa por um excelente banco de dados. O banco de dados é o combustível do e-mail marketing. Quanto mais atualizado e qualificado for a base de dados de clientes para envio, maiores serão seus resultados.

É fundamental ter bem claro em sua mente: Quem são seus clientes? Onde eles estão? Como procurar mais clientes com esse perfil? A partir daí, defina se vai alugar, comprar ou montar seu próprio banco de dados. Fuja dessas listas com milhares de e-mails à venda em bancas de jornal ou sites obscuros. Você só perderá tempo, dinheiro e ficará nervoso fazendo envios a e-mails inválidos.

> b) Quanto mais pessoas estiverem trabalhando para você, mais dinheiro ganhará. Se você consegue mandar milhares de e-mails e tiver bons vendedores espalhados pelo Brasil e pelo mundo para atender, fará muitas vendas. Dividir para somar é o negócio!
>
> c) Treinamentos para atendimento e fechamento de vendas são fundamentais. É preciso estar treinado para atender e converter o e-mail ou chamada em resultado de vendas. Lembre-se: atender é uma coisa e vender é outra. Você ou sua equipe precisam estar afiados para não desperdiçar o retorno, e isso só se consegue com muito treinamento de vendas. Treinamento é repetição, um atleta treina quatro anos para competir um minuto em uma prova. Então prepare-se e venda muito por e-mail.

Uma boa campanha de e-mail marketing e um atendimento profissional voltado a vendas: isso é bom demais e traz retornos imediatos. Essa estratégia de vendas em conjunto com as que você já utiliza atualmente poderá colocá-lo em um novo patamar de vendas. É isso que desejamos ao escrever este livro.

13

Ofertar não ofende. Quem não oferta não vende!

OUVIMOS ESSA FRASE DE UM BOM CORRETOR QUANDO FOMOS DAR palestra em Belém (Pará), em uma das maiores e melhores empresas no ramo imobiliário do país.

"Ofertar não ofende. Quem não oferta não vende."

Aí é que entra o e-mail marketing. Com essa invenção, o modo de se comunicar com os clientes mudou e se tornou extraordinariamente mais rápido. Hoje, com um simples clique você pode alcançar milhares, até milhões de clientes de acordo com seu poder de fogo e oferecer seu produto ou serviço.

Chamamos a sua atenção para duas coisas muito importantes que não podem ser ignoradas, e entendê-las será a diferença entre o fracasso e o sucesso nas vendas por e-mail:

1. O e-mail não substitui o ato da venda

Trabalhar é uma coisa, vender é outra. Cuidado com a ilusão do trabalho em vendas. Vemos muitos vendedores se iludir, se enganar com a armadilha do trabalho, e isso inclui o envio de e-mails sem critérios para clientes.

É muito mais fácil ficar o dia inteiro enviando e-mails do que sair para a rua ou pegar o telefone para vender. Por isso muitos vendedores se acomodam e ficam sentados mandando e-mails um após o outro e justificam para si mesmos e para os outros que estão trabalhando. Ora, claro que estão trabalhando, mas perguntamos: Qual a eficiência e a qualidade dessa ação?

Quando o envio de e-mails passa a não trazer resultados, vem a frustração. É muito comum ver vendedores colocando a culpa na empresa, no banco de dados, nos clientes etc., quando o único culpado é ele mesmo por estar trabalhando de maneira errada.

Preste atenção! O e-mail ajuda a vender quando bem usado, mas não substitui o olho no olho ou a conversa direta ao telefone com o cliente. Essas são ações feitas em conjunto.

É preciso trabalhar duro, ligar, visitar, acompanhar e ir atrás para vender. Se apenas enviar e-mails resolvesse, seria fácil vender, e as empresas não precisariam de vendedores.

Portanto, use o e-mail a seu favor e não contra você, use-o como complemento da venda em sua estratégia pessoal de vendas. Divulgue, vá pra cima e feche vendas, pois só divulgar não adianta.

2. Clientes pedem e-mail para enganar vendedores

A maioria dos clientes não diz: "Não vou comprar", quando não se interessa pelo produto. Eles falam: "Me mande um e-mail ...".

Não falam a verdade porque se falassem o vendedor iria tentar convencê-los de qualquer maneira a comprar o produto oferecido. Então, encontraram essa forma de despachar vendedores. Eles falam para mandar um e-mail, que vão analisar e depois dar um retorno. E dão o tal retorno ao vendedor? Claro que não.

Portanto, se você não tomar cuidado com esse ponto, acumulará dezenas de clientes que ficaram de dar um retorno e quando chegar o final do mês não terá vendido nada, apesar de ter trabalhado duro para isso.

Não podemos generalizar, existem exceções, mas exceções são raras e não são a regra. Você precisa ter bom senso para separar o joio do trigo, para investir tempo naquele cliente que tem realmente interesse em comprar e não perder tempo com clientes enroladores que não têm coragem de falar a verdade.

Preste atenção nesse conselho. É melhor ouvir um não verdadeiro do que um falso sim. O "não", por pior que seja, diz que você perdeu a venda e terá de ir atrás de novos negócios para sobreviver, sustentar sua família e ganhar dinheiro para realizar seus sonhos.

Talvez você esteja se perguntando: "Mas qual o problema em mandar e-mails para os clientes que pedem, se eu já tenho os e-mails na máquina e isso leva apenas alguns segundos?"

Você está parcialmente certo. Leva realmente apenas alguns segundos para enviar; o problema não é esse. O fato é que após o envio, você entrará em contato com o cliente para tentar fechar a venda e então começará a perder tempo e dinheiro. Além disso, após enviar um e-mail, geralmente o vendedor cria certa expectativa de venda e deixa de ir atrás de novos negócios.

Outra coisa relevante está relacionada ao Tempo Ativo de Vendas (TAV), o tempo que se passa efetivamente vendendo para clientes, falando, negociando, explicando, ouvindo, enfim, em contato direto com o cliente, pessoalmente ou por outros meios de comunicação. Esse tempo está compreendido dentro do horário comercial, salvo exceções.

Você deve aproveitar o horário comercial para ser proativo e tentar fechar vendas diretamente. Mande e-mails bem no início ou no finalzinho do dia. Assim você aumentará sua produtividade e suas vendas. Agora, se você é do tipo que gosta de apenas cumprir horário, estará morto em vendas. Vendas é garra, esforço, dedicação, é fazer mais do que se é pago para fazer. Você precisa plantar para colher.

Acompanhar é preciso. As histórias precisam ter começo, meio e fim. Se você abriu um contato com um cliente e ele ficou de dar resposta, anote em seu sistema de controle e faça o acompanhamento: ligar, mandar e-mails ou retornar a visita para dar sequência à venda. Muitas vendas não ocorrem logo no início. É preciso um trabalho, às vezes, de médio prazo. Contudo, você não pode deixar o cliente "solto". Ele precisa se lembrar que você está ali, esperando uma resposta. E você precisa lembrá-lo que a sua oferta é a melhor do mundo, porque é nesse negócio que você trabalha.

Alguns dias atrás, conversando com um corretor em uma convenção de vendas, ele nos contou que havia acabado de fechar a venda de um apartamento que tinha iniciado a negociação três meses antes, e que nesse período foram onze contatos de retorno entre ligações e e-mails. Imagine se ele não tivesse dado a devida atenção e feito os devidos retornos...

Portanto, acompanhe o e-mail e finalize com boa venda ou finalize encerrando uma negociação, mas nunca deixe as coisas soltas e simplesmente desista. Você precisa ouvir o sim ou o não. Isso é postura nos negócios.

Lá fora há milhares de pessoas precisando comprar o que você está vendendo, e o seu desafio é encontrá-las no meio da multidão e ir fechar a venda. Nisso o e-mail marketing poderá ajudá-lo como mostraremos a seguir.

14

Dicas para montar um bom e-mail marketing

JÁ VIMOS QUE O E-MAIL MARKETING É UM BOM NEGÓCIO E VOCÊ DEVE estar louco para iniciar suas ações e ganhar dinheiro com isso. Contudo, para ter sucesso com essa estratégia, assim como em tudo na vida, há alguns detalhes importantes que fazem toda a diferença. Negligenciar esses detalhes é o mesmo que jogar dinheiro fora.

Não temos a pretensão aqui de torná-lo um *web designer* ou um expert em e-mail marketing. Para isso existem profissionais competentes no mercado que são muito criativos e eficientes na produção desses e-mails. Sempre defendemos que cada um é bom em uma coisa e quem quer fazer tudo acaba não fazendo nada direito.

Como profissional de vendas você deve pelo menos ter noção do que é certo ou errado para poder acompanhar e direcionar a criação do seu e-mail marketing.

Mostraremos aqui dez dicas práticas e valiosas para se construir um bom e-mail marketing:

DICA 1 – O REMETENTE

Qual deve ser o remetente do e-mail marketing?

O remetente deve ser um e-mail com o domínio da empresa. Utilizar e-mails de provedores pessoais como, por exemplo, Uol, Terra, Hotmail, Gmail, Yahoo etc. pode caracterizar o remetente como spam, afetar sua legitimidade e influenciar na confiança do destinatário. Ex: cesar@cesar.com.br. Segundo pesquisa realizada pela Brendin Business Information, 64% dos executivos decidem se querem ou não abrir o e-mail baseado no remetente. Por isso ele é tão importante.

Quando você vai verificar seus e-mails, provavelmente a primeira coisa que faz quando abre a tela e vê aquele monte de e-mail é passar os olhos rapidamente no remetente. Então, quanto mais seriedade e credibilidade tiver o remetente, melhor.

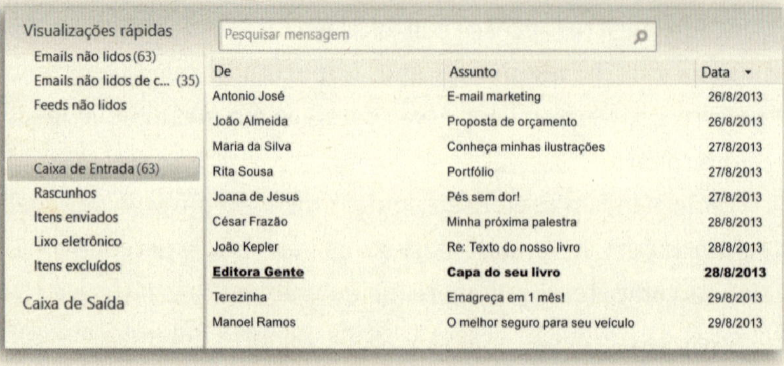

DICA 2 – O ASSUNTO

Porque o assunto do e-mail marketing é tão importante assim?

Depois do remetente, é por meio da leitura da linha do assunto que esse receptor toma conhecimento do que se trata a mensagem e decide se vai abrir o e-mail ou não.

O ideal no assunto não é colocar o que você pretende vender, mas, sim, o benefício que o cliente terá. Os clientes não compram o que você vende, compram o que os produtos ou serviços fazem por ele.

DICA 3 – IMAGENS *VERSUS* TEXTO

Por padrão, os servidores, ao receber um e-mail marketing, fazem uma busca em toda a peça para analisar se o conteúdo ali inserido é de interesse do destinatário.

Como esse processo é feito automaticamente e não por um profissional de marketing, é determinado que toda campanha deverá ser desenvolvida com um índice de texto superior ao de imagem, sabendo-se que cada imagem adicionada no layout aumenta o risco de o e-mail ser classificado como spam e barrado.

O e-mail somente com texto tem mais de 90% de chances de visualização sem a necessidade de qualquer liberação.

Abaixo, veja o exemplo de um bom e-mail marketing, limpo, leve, de fácil leitura e que consegue facilmente chegar às caixas de entrada, atingindo, assim, seu objetivo que é divulgar e vender.

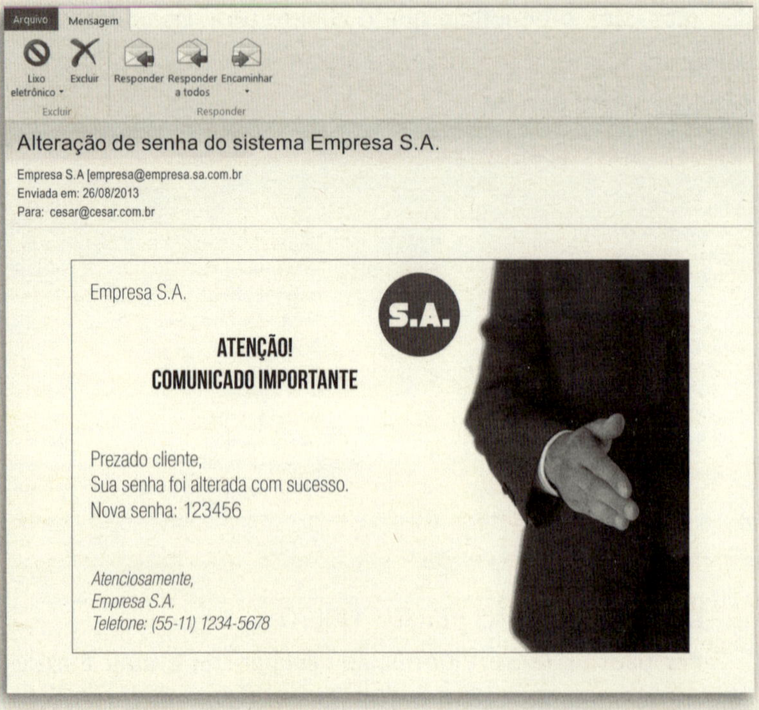

Em seguida, exemplo de um e-mail marketing não tão bom assim, muito pesado, carregado de imagens e que foi direcionado automaticamente pelo servidor para o lixo eletrônico, não cumprindo seu objetivo que era divulgar e atrair clientes.

DICA 4 – CONTEÚDO BLOQUEADO

Como saber se o conteúdo do seu e-mail poderá ser bloqueado?

Os servidores são configurados para classificar cada e-mail recebido. Essa classificação é feita por uma espécie de sistema de pontuação que avalia o e-mail assim que ele chega ao servidor de destino. Se essa pontuação atingir o valor máximo que é permitido para e-mails normais, ele é automaticamente classificado com spam.

Essa análise classificatória baseia-se em imagens, tags de programação e palavras inseridas no conteúdo. Eles são filtros técnicos, por volume de entrega em determinado período de tempo ao provedor. Por padrão de segurança, algumas palavras e expressões muito utilizadas por "spammers" (como são conhecidos pessoas que fazem muito spam) são bloqueadas automaticamente.

Aconselhamos você a, antes de definir o texto, pesquisar no Google palavras e expressões bloqueadas por servidores. E você terá acesso a várias listas de palavras que naquele momento estão sendo bloqueados, assim poderá evitá-las em seu e-mail marketing. Essa pesquisa não garante que esse e-mail não possa ser visto como spam devido a seu conteúdo ou que será classificado como tal, mas ajuda a diminuir as chances de ir direto para o lixo eletrônico.

Não existe uma regra única por parte dos provedores, mas conhecemos algumas dicas que podem auxiliar a aceitação de seus envios, diferenciando seu conteúdo do enviado por spammers e aumentando seus índices de visualização.

Como tudo na internet muda rapidamente, essas listas também não são definitivas, portanto esteja sempre atualizado. Mesmo assim, a título de informação, resolvemos mostrar alguns exemplos. Vamos a eles:

a) Evite palavras como "promoção", "boletim", "news", "newsletter", "oferta", "curso", "clube", "club", "off", "%", "sales", "dinheiro", "DJ", "ganhe", "desconto", "marketing", "mkt", "visa", "master", "cartão de crédito", "pagar", "orçamento", "financeiro", "barato", "bar", "cotação", "noreply", "não responda", "retorno", "envio", "e-mail marketing", "retorno", "consórcio", "planos de saúde", e centenas de outras palavras que já são automaticamente bloqueadas pelo filtro quando estão no corpo, no assunto ou no e-mail de envio e resposta de seu e-mail marketing.

b) Procure não utilizar o termo "clique aqui" no corpo ou no assunto da mensagem (sugerimos que utilize somente "clique").

c) Evite assuntos com LETRAS MAIÚSCULAS.

d) Se o seu e-mail marketing é direcionado para a caixa de spam ou se o seu indicador da proporção de visitantes que acessaram uma página web por meio de link de hipertexto para um site específico não está satisfatório, seu problema pode diminuir se o texto for melhorado. Tirar as frases abaixo – ou palavras combinadas – já garantirá um bom efeito aos seus e-mails:

- Todos os direitos reservados;
- Links para arquivos .exe, .pif, .scr e outros;
- Sigilo absoluto;
- Dúvidas conjugais;
- Grampo?;
- Tenha seu site na internet;
- Ganhe dinheiro enviando e-mails;
- Trabalhe em casa;
- Para retirar seu e-mail da lista;
- Divulgue sua/seu;
- Não perca tempo;
- 24 Horas;
- A expressão: "de/para sua empresa";
- A palavra "hospedagem" no corpo do texto ou no assunto do e-mail;

- Assunto: kg;
- Assunto: vagas abertas;
- A palavra "confira" no texto;
- Agência de Aproximação/Modelos;
- Especialmente para você;
- A frase: "Não responder o e-mail";
- Assunto sobre perder peso, tanto no texto quanto no assunto do e-mail;
- Saved from URL; - Desculpe o transtorno e/ou incômodo;
- Consulte-nos!;
- Detetive ou espionagem;
- Despachamos para todo o Brasil;
- Ponto de exclamação no De (From) do endereçamento de e-mail;
- Telemarketing;
- Saiba mais;
- Imperdível;
- Aproveite nossa promoção;
- Agora/já;
- Curso on-line no assunto do e-mail;
- Curso no assunto ou no corpo do e-mail;
- Mala Direta de e-mail;
- Grátis;
- Frete Grátis;
- Remover e-mail;
- Tempo Limitado;
- Clique aqui;
- Renda Extra;
- Ganhe Dinheiro;

- Assunto com a palavra "Promoção";
- A palavra "você" no assunto do e-mail;
- Link para sites no cjb.net;
- Link para sites no kit.net;
- Link para produtos no Mercado Livre;
- Texto sobre não receber mais a mensagem;
- Texto dizendo que a mensagem será enviada apenas uma vez;
- Texto dizendo que a mensagem não é spam;
- Texto "A partir de R$xx.xx";
- Texto "apenas R$xx.xx;
- Texto "apenas R$xx.xx" no assunto do e-mail;
- Preço no assunto do e-mail.

Lembre-se que a relação que você acabou de ler é apenas uma amostra, não é definitiva. Faça sempre uma pesquisa antes para garantir que seu texto não seja considerado spam.

Além disso, algumas palavras e expressões fortes poderão turbinar seu e-mail:

"Muito obrigado", "com licença", "por favor" e "desculpe" **são palavras que sempre ajudam a vender, pois os clientes gostam de fazer negócios com pessoas educadas e gentis.**

E mais: o nome do cliente, "resultado comprovado", "imagine", "novidade", "lançamento", "retorno", "novo", "fácil", "vital", "confiança", "sucesso", "amor", "paz", "felicidade", "conforto", "retorno", "lucro", "qualidade", "garantia", "satisfação", "prazer", "gostoso", "luxo", entre outras, são palavras bem-vindas nos e-mails.

DICA 5 – A LARGURA

A largura máxima de um e-mail deverá ser de 600 pixels, para não prejudicar a leitura. Faça o feijão com arroz – **não adianta querer inventar demais, pois você não sabe o tipo**, o modelo e a capacidade do computador do seu cliente. Um computador pouco potente ou com programas mais antigos não consegue visualizar arquivos muito pesados. O e-mail deve caber inteiro na tela do computador, sem a necessidade de mexer na barra de rolagem.

DICA 6 – FONTES

Ao inserir o corpo do texto, prefira fontes comuns como Arial, Verdana e Times. São fontes-padrão que todo mundo tem. Outro dia recebemos um e-mail que não conseguimos abrir por não ter a fonte em nosso computador! Quem enviou desperdiçou tempo e dinheiro.

DICA 7 – EQUILÍBRIO EM IMAGENS E TEXTOS

Estabeleça equilíbrio entre imagens e textos. Prefira sempre mais texto do que imagens, sabendo que a cada imagem adicionada aumenta-se o risco de ser barrado por spam.

DICA 8 – OPÇÃO DE EXCLUSÃO

No rodapé da mensagem insira a opção de exclusão e cancelamento do cadastro. Siga padrões de bons e-mails marketing. As boas práticas do mercado, a boa conduta e a boa educação são grandes diferenciais.

DICA 9 - ASSINATURA

Personalize sua assinatura. O rodapé do e-mail marketing deve ser padrão para toda a empresa.

Modelo 1:

Modelo 2:

DICA 10 - SINTONIA COM A EQUIPE DE VENDAS

Combine o atendimento com seus vendedores. Outro dia estávamos em uma empresa tratando dos detalhes de uma palestra. De repente, entrou um vendedor na sala e perguntou ao gerente se havia alguma promoção no momento, porque alguns clientes estavam ligando dizendo ter direito a um desconto especial.

O gerente respondeu que sim! O marketing havia se esquecido de avisar a equipe comercial. Veja que absurdo!

O e-mail marketing, quando benfeito e enviado com inteligência, torna-se verdadeira máquina de fazer dinheiro. Você

Divulga – Atende – Vende. Divulga – Atende – Vende, num círculo virtuoso sem fim. Quanto mais divulgar, mais clientes entrarão em contato e mais vai vender.

15

Checklist para uma campanha de vendas lucrativa

EM VENDAS NÃO EXISTE MÁGICA: TUDO É UMA RELAÇÃO DE CAUSA E efeito. Ou seja, se fizer a coisa da maneira correta, venderá; se errar um detalhe, poderá perder a venda. E é isso que não queremos que aconteça com você.

A correria e a pressão por resultados geram ansiedade muito grande em todos os que trabalham na área de vendas, desde o vendedor iniciante ao mais importante diretor da área, pois todos estão loucos por resultados e correndo para que isso aconteça.

Diante dessa competição desenfreada, muitos atropelam o processo e colocam o carro na frente dos bois, agem por impulso, tomam decisões sem pensar, e os resultados nem sempre são os melhores.

Antes de dar início a uma campanha de vendas por e-mail, seja ela grande, promovida por uma agência de publicidade renomada, seja pequena, feita por conta própria por um vendedor no final de semana do seu computador de casa, alguns fatores-chave devem ser levados em conta para que essa campanha de vendas por e-mail dê certo.

Quanto melhor for a sua preparação e o seu planejamento, maiores serão as chances de funcionar. Mesmo que seja uma ação rápida, é preciso estruturar o processo.

Pensando nisso, é hora de refletir, pensar, analisar, questionar e amadurecer toda a ideia em vez de simplesmente sair enviando e-mails.

Elaboramos um checklist muito prático que o ajudará muito em seu planejamento e em sua tomada de decisão.

CHECKLIST:

1. Qual o objetivo dos envios?

Para atrair novos clientes, ou para vender mais para os clientes atuais? Defina o objetivo do e-mail.

2. Quem são seus clientes e onde eles estão?

Essa pergunta é a definição clássica e básica do marketing, muitas vezes ignorada, fazendo empresas perder muito dinheiro com propagandas de vendas estúpidas. Defina um alvo e vá em direção a ele, é loucura querer vender para todo mundo.

3. Onde conseguir e-mails: alugar, comprar ou montar seu próprio banco de dados?

O combustível de uma campanha de e-mail marketing é o banco de dados. Sem um bom banco de dados você não chega a lugar nenhum. Então, vá atrás de um banco que seja sério, e não apenas um amontoado de e-mails que não tenham nada a ver com o perfil de seu negócio. Ou você quer oferecer um skate para um senhor de 70 anos?

4. Pretende atrair para o "clique" ou para o telefone?

Se pretender atrair para ligações telefônicas, então não coloque preço nos e-mails. A falta de preço deixará os clientes curiosos, e isso fará com que eles liguem para sabê-lo. Estará aí a oportunidade para os vendedores converterem uma ligação de cotação em venda.

Se quiser que seu cliente compre por e-mail, então coloque o preço, as condições de pagamento e tudo mais, porque ele definirá, sozinho, sem a interferência de vendedores, o que levará.

Utilizando esse formato de negócio você baixará um pouco os custos, porque não precisará pagar as comissões aos vendedores, mas em compensação seu retorno cairá muito, pois muitos clientes comprariam se fossem atendidos por vendedores treinados e persuasivos em vez de simplesmente ler um e-mail com preço.

5. Será uma ação isolada ou em série? Qual a periodicidade?

Pensar a médio e longo prazo costuma trazer resultados mais sólidos e consistentes. Sugerimos considerar ações de vendas planejadas pelo menos para o ano vigente.

Pesquise em seu mercado a frequência ideal dos envios de e-mail. Não mande em datas muito próximas, porque senão você saturará seu cliente, mas também não deixe passar tempo demais, de maneira que o cliente te esqueça.

Lembre-se: cada mercado funciona de um jeito, não existe regra para isso. O importante é você descobrir o ponto certo. É andando que se descobre o caminho.

6. Os dados estão atualizados e a lista está correta?

Verifique todo o banco de dados antes do envio dos e-mails. Nesse caso, precaução nunca é demais, pois se houver um travamento na hora do envio, você perderá dias e dias de trabalho.

7. Qual o remetente?

Vimos como esse é um item importante no início deste capítulo. Se necessário volte ao começo e releia as dicas sobre o assunto, pois o sucesso de uma ação de vendas por e-mail marketing está diretamente relacionada ao remetente desse e-mail.

Identificar claramente o remetente com dados completos, garantindo que os destinatários saibam exata e verdadeiramente com quem estão se comunicando, é a melhor maneira de despertar confiança em seus potenciais clientes e de fazer com que eles abram o e-mail.

8. Qual o assunto?

Como já dissemos anteriormente, depois do remetente todas as atenções devem ir para o assunto, a fim de garantir o máximo de retorno. Faça testes e ouça o mercado, deixe seus clientes dizerem qual assunto funcionará melhor. Assim como o remetente, o assunto também **é crucial. Todo cuidado é pouco** nessa escolha.

9. O conteúdo é de interesse do leitor?

O conteúdo deve interessar ao cliente, não a você. Pense sempre em termos de mercado, não em termos de gosto pessoal, porque o que para você pode parecer lindo, para o mercado é um fracasso. Quanto melhor o conteúdo, maiores as possibilidades de ele aceitar seu e-mail no segundo envio e, além disso, poderá encaminhá-lo a outras pessoas.

Os clientes não são bobos: querem informações de qualidade e diferenciadas.

10. O logotipo está no canto superior esquerdo?

Siga esse padrão de propaganda internacional, não adianta querer reinventar a roda.

11. O texto está bem diagramado e com espaços em branco?

Textos pesados não vendem e dispersam a atenção dos potenciais clientes. Concentre-se no mais importante, resuma e vá direto ao ponto. Textos longos não vendem.

12. O e-mail pode ser lido facilmente às pressas?

Todo cliente quer economizar tempo. O e-mail marketing está no tamanho certo quando a barra de rolagem no canto direito da tela não precisa ser acionada para que o e-mail todo seja visualizado. Lembre-se que o objetivo do e-mail marketing é jogar a isca, provocar, despertar o interesse do cliente e não se tornar uma bula de remédio que nunca será lida.

Essa talvez seja uma das mais importantes dicas. Atualmente, todo mundo tem pressa, e as pessoas passam os olhos nos e-mails em vez de lê-los com calma e atenção. Então, certifique-se de que seu e-mail marketing possa ser lido às pressas.

13. Cruze a relação de e-mails com a lista negra para evitar reclamações de spam. Se clientes pediram para não receber mais seus e-mails, respeite a vontade deles e não os importune enviando novas propagandas.

14. Enviar somente ao público-alvo com comprovado interesse potencial na oferta veiculada pela mensagem.

15. Identificar claramente no campo de assunto que se trata de uma oferta com intuito comercial, permitindo assim que seja deletada pelos não interessados, sem que necessitem abri-la previamente.

16. Enviar apenas um e-mail por vez aos destinatários e não uma série de e-mails logo de início.

17. Implantar *cookies* – pequenos arquivos de letras e números baixados em seu computador quando você acessa determinados sites –, em sites automaticamente significa a obtenção de autorização para recebimento de mala direta. Quem pretende basear sua estratégia de e-mail marketing no uso de *cookies* deve, no mínimo, produzir uma redação específica nos *cookies*, com bastante destaque, chamando atenção para que a autorização se estenda ao recebimento de mala direta e, além disso, faça constar em Termos de Uso do site regras completas e claras sobre essa questão, mais concisas do que a mensagem empregada nos *cookies,* complementando a redação. Vê-se aí, mais uma vez, que a customização pode oferecer múltiplas soluções, com criatividade, experiência e equilíbrio.

Essa autorização para recebimento dos e-mails deve ser analisada caso a caso. Enfim, para cada necessidade, há uma solução própria e sob medida, que envolve o tipo de redação desenvolvida na mensagem, ou no *cookie*, ou no documento, a articulação lógica com o teor da Política de Privacidade e com os Termos de Uso do site e a relação com Códigos de Ética ou Códigos de Conduta da empresa remetente.

18. Enviar, antes do e-mail simples, um pedido de permissão para futuros envios. Enviar uma mensagem de e-mail perguntando aos destinatários se aceitam receber ofertas em futuras mensagens seria outra forma de atender ao mercado hoje em dia. Uma ligação, caso o cliente seja mais próximo, também é válida.

Atenção: mesmo tendo um excelente e-mail marketing e uma campanha de e-mails bem planejada e estruturada, tome cuidados extras com políticas de envios para evitar problemas de spam.

Você pode estar se perguntando: o que é spam?

Spam é o termo usado para referir-se aos e-mails não solicitados, que geralmente são enviados para grande número de pessoas. Quando o conteúdo é exclusivamente comercial, esse tipo de mensagem é chamada de UCE (do inglês Unsolicited Commercial E-mail – E-mail comercial não solicitado).

E por que isso está acontecendo e por que ouvimos tantas pessoas falarem disso? O fato é que a internet causou grande impacto na vida das pessoas, tornando-se um veículo de comunicação importante, evoluindo para revolucionar a maneira de fazer negócios. Ela viabiliza a realidade da globalização nas diversas áreas da economia e do conhecimento. Por outro lado, esse canal acabou absorvendo diversas práticas, boas e ruins. Entre elas o spam.

O spam, em alguns pontos, se assemelha a outras formas de propaganda, como a carta colocada na caixa do correio, o panfleto recebido na esquina e a ligação telefônica ofertando produtos. Contudo, o que o difere é justamente o que o torna tão atraente e motivador para quem o envia (spammer): ao passo que nas demais formas o remetente precisa fazer algum tipo de investimento, o spammer necessita investir muito pouco, ou até mesmo nada, para alcançar os mesmos objetivos e em escala muito maior. Uma propaganda de grande alcance a um custo irrisório.

Desde o primeiro spam registrado e batizado como tal, em 1994, essa prática tem evoluído, acompanhando o desenvolvimento da internet e de novas aplicações e tecnologias. Atualmente, o envio de spam é uma prática que causa preocupação, em razão do aumento desenfreado do volume de mensagens na rede.

O spam é considerado um tormento para os usuários de e-mail, impactando na produtividade de funcionários e degradando o desempenho de sistemas e redes. No entanto, poucos se lembram de que já enfrentaram algo semelhante, antes de utilizar o e-mail como ferramenta de comunicação. Já passamos por isso com o excesso de malas diretas no passado e as ligações telefônicas de Call Centers oferecendo produtos. Esses são, na verdade, os precursores do spam.

A principal diferença, e extremamente relevante, é que para enviar cartas ou panfletos e ligar para nossas casas, o remetente tinha de fazer algum investimento. Este muitas vezes inviabilizava o envio de material de propaganda em grande escala. Diferente do e-mail marketing.

O consumidor fica irritado ao abrir sua caixa de e-mails e ver centenas de e-mails que não solicitou, assim como ficava, anteriormente, quando abria sua caixinha do correio e tinha dezenas de propagandas lá dentro.

A diferença hoje é que o cliente que se sentir incomodado ou prejudicado pelo spam pode fazer uma denúncia aos órgãos reguladores da internet, e o remetente desse e-mail pode ter seu site retirado do ar, entre outras punições.

Então, o caminho será cada vez mais fazer o e-mail marketing legalizado e unir o poder dessa comunicação com a permissão do potencial cliente em questão. O forte repúdio generalizado ao spam abusivo é a necessidade de e-mail marketing legal para sustentar economicamente a internet e esse tipo de propaganda.

O melhor a ser feito é construir um relacionamento com seu futuro cliente e ter a autorização dele, ou seja, sua permissão para enviar seus e-mails marketing. Assim, além de você nunca ter problemas, terá um público-alvo selecionado.

Tenha em mente que uma ação isolada de e-mail marketing, um grande spam, pode até trazer resultados imediatos, mas não se sustentará por muito tempo e isso certamente terá impacto nas vendas. Os vendedores e as empresas se acostumam a vender por spam e, quando não conseguem mais fazer isso, as vendas despencam, pondo em risco o faturamento mensal. Por isso colocamos essa informação em nosso checklist no item 5.

É importantíssimo enviar e-mail marketing, mas é realmente necessário se precaver e se assessorar em relação ao risco de gerar um grande spam, que não servirá para nada. Demandará tempo, trabalho, suor e não gerará vendas!

Quem investe em estudos e planejamentos mercadológicos, de imagem, comunicação etc., para se especializar nessa ferramenta, deve cogitar complementar tal investimento buscando planejamento jurídico específico e contar com assessorias de empresas idôneas, competentes e éticas. E-mail marketing é um canal de vendas importante para qualquer empresa e vendedor nos dias atuais.

As fronteiras acabaram e hoje você pode vender para o mundo todo com a internet. Use essa ferramenta com bom senso, sabedoria e inteligência e terá aí uma excelente fonte de vendas.

Lembre-se do que já falamos aqui: ninguém é bom em tudo, cada um na sua. Faça parcerias com empresas sérias que dominam essa área de envios de e-mails e de marketing digital. Quanto mais assessorado estiver, melhor. Se você for muito pequeno para isso ou se a ação for pequena, estude, busque conhecimento e aja como profissional.

Saiba mais em www.antispam.br e www.wbibrasil.com.br.

16

E-mail personalizado para envio de propostas

CHEGOU A HORA EM QUE VOCÊ TEM DE APRESENTAR UMA PROPOSTA OU orçamento, como queira chamar. Vem a dúvida: mando um e-mail ou monto uma apresentação completa? Como deve ser o modelo de proposta?

Calma! Antes de mandar a tal proposta tome cuidado para não cair na armadilha do "Me mande um e-mail", conforme vimos anteriormente.

Pare um instante agora e preste atenção em quantos e-mails você enviou para clientes que pediram "Me mande um e-mail" e não conseguiu vender nada a eles. Não achamos errado enviar e-mails. Aliás, esse é o propósito do livro, ensinar a vender por e-mail e por outros meios da mídia social. Contudo, você precisa ter critérios no envio das propostas para alcançar quem realmente tem interesse em comprar.

Pergunte ao cliente: de 0 a 10, qual o grau de interesse do senhor no produto ou serviço? Qual a chance de o senhor comprar após receber o e-mail? Se a resposta dele for de 8 para baixo, esqueça, você está morto. Se for 9, você terá chance de fechar o negócio nos dias seguintes. Se for 10, então não mande o e-mail e feche a venda na hora.

Outra situação que ajuda a decifrar o real interesse do cliente quando ele alega que precisa consultar outras pessoas como esposa, marido, gerente, dono da empresa ou qualquer outra pessoa é você falar a ele: se o senhor não precisasse consultar ninguém e a decisão dependesse só do senhor, o senhor compraria agora? Pelo senhor, podemos fechar agora? A resposta mostrará se ele está realmente interessado ou só dando uma desculpa. Para ele comprar no dia seguinte, ele precisa querer, acreditar, ter vontade. Se nem ele estiver interessado, como conseguirá convencer outras pessoas a comprarem de você?

Assuma uma postura rígida e firme, demonstrando ao seu cliente que você não é ingênuo, e sim um profissional que valoriza o seu tempo.

Todos já passamos por isso, quando se manda um e-mail para quem não estava realmente interessado e a pessoa solicitou esse e-mail apenas como desculpa, você liga e ela não atende mais, deixa recado e ela não retorna, envia novo e-mail e ela não responde, até que, após diversas tentativas, você acaba desistindo. Perdeu tempo e dinheiro.

Diante de tudo isso, tenha sempre em mente o seguinte: o e-mail não substitui o olho no olho. O e-mail deve ser mais uma ferramenta, um aliado dos novos tempos. Uma ferramenta que será muito útil para atrair novos clientes. No entanto, o que vai fazer o cliente comprar é o seu atendimento, seu entusiasmo, sua persuasão. Isso é venda.

E vamos falar sério. Se quiser ganhar dinheiro de verdade precisa enviar propostas e e-mails individuais fora do horário comercial. Envie propostas antes das 8 horas ou depois das 18.

O horário comercial habitual que compreende entre 8 e 18 horas na maioria das empresas, deve ser utilizado para efetivamente falar com seus clientes por telefone ou pessoalmente. É o que já falamos anteriormente: Tempo Ativo de Vendas.

Se você envia e-mails no horário comercial, está desperdiçando essa oportunidade e jogando dinheiro fora. Veja bem: quando o cliente pede um e-mail com uma proposta, ele não vai decidir na hora, e justamente por isso ele está lhe pedindo o e-mail. Se ele fosse decidir no momento, não precisaria da proposta: bastaria que você explicasse tudo ao telefone ou pessoalmente e fechasse a venda. Uma vez que ele não dará a resposta na hora, que diferença faz você enviar o e-mail no horário da negociação ou no final do dia? Nenhuma!

Talvez você esteja se questionando, "mas se eu enviar um e-mail fora do horário de trabalho eu não serei pago por isso. Terei de acordar mais cedo ou ir para casa mais tarde". Você tem razão. Só queremos lembrá-lo que a vida é feita de escolhas, e para cada escolha que fazemos recebemos algo em troca.

Ter sucesso em vendas não é para qualquer um! Você terá de decidir se quer cumprir um horário comum e fazer o básico, e viver ganhando pouco, ou se quer trabalhar mais que os outros e ganhar dinheiro de verdade. Não existe sucesso em vendas sem suor e muita dedicação.

Por isso é preciso que você dedique tempo aos e-mails customizados, aqueles que vão pegar o cliente de maneira individual.

Esse tipo de e-mail se divide em:

E-mail quente: aquele que enviamos depois de uma conversa direta com o potencial cliente que, verdadeiramente, demonstrou interesse em comprar. É quando você identifica uma boa chance de venda. Cuide com carinho desses clientes!

E-mail frio: é aquele que você envia quando não conversou diretamente com o interessado. Conversou com uma secretária, um assistente ou algum intermediário. Com esses, a chance de vender é muito menor, mas, como existe uma remota possibilidade, vale a pena enviar o e-mail em horário que não atrapalhe suas vendas do dia.

Outro tipo de e-mail são aqueles exigidos em concorrências – seja de empresas estatais, seja de empresas privadas. É muito simples e fácil, pois o cliente solicita o envio de um modelo de e-mail com preenchimento de proposta comercial. Certifique-se de qual modelo padronizado deverá ser enviado e mãos à obra.

Customize sempre sua proposta e, mesmo seguindo padrões, é sempre bom personalizar algo e incluir itens em função da sua conversa com o cliente.

Finalmente, ao terminar o preenchimento e antes de enviar, faça perguntas básicas como: meu cliente vai entender, o chefe do meu cliente achará clara a minha explicação?

Se as respostas forem "sim", é enviar e dedicar-se a outro contato, para que no fim do mês sua meta seja superada!

17

Modelos de e-mails para propostas comerciais

UM DOCUMENTO DE PROPOSTA DE PRESTAÇÃO DE SERVIÇOS É DE GRANde utilidade tanto para os autônomos quanto para empresas que prestam qualquer tipo de serviço. De pouco adianta você ter um excelente produto ou serviço se não souber divulgá-lo, vendê-lo ao mercado. Daí a importância de adotar um bom modelo de proposta comercial a ser enviada por e-mail.

O que é modelo de proposta de prestação de serviços?

É, antes de tudo, uma ótima opção para vendedores que procuram divulgar cada vez mais seu trabalho e para empresas que precisam conquistar mercado.

Um modelo de proposta de prestação de serviços de uma empresa tem o objetivo de divulgar para um grupo de pessoas (potenciais clientes) os serviços oferecidos. Normalmente, empresas menores utilizam desse modelo de proposta para tornar-se mais conhecidas no mercado e ganhar credibilidade.

Modelo de proposta de prestação de serviços autônomo

O modelo de proposta de prestação de serviços autônomo é de suma importância para que um trabalhador independente divulgue ainda mais seus serviços. Contudo, existem diversos modelos de prestação de serviços, e você deve escolher aquele que considerar mais adequado ao seu perfil. Preste atenção para escolher corretamente e passar todas as informações necessárias. A seguir, veja alguns exemplos:

MODELO 1:

Proposta Comercial

[Logotipo da Empresa]
São Paulo, [dia] de [mês] de [ano]
À [Nome-Empresa]
Aos cuidados de [Nome-responsável]

Prezados,
Apresentamos à V. Sas., proposta de [título-da-proposta].

Desde já agradeçemos a oportunidade a nós concedida e nos colocamos à disposição para quaisquer esclarecimentos.

Atenciosamente,
[seu-nome]

Descritivo da proposta
Nonononononononono...

Validade da proposta
Nononono ononononono...

Valor e condição de pagamento
Nononono ononononono...

Condições comerciais
R$ 0.000 Nonononoono...
[nome-responsável]

[Endereço, telefone e e-mail da empresa]
São Paulo, [dia] de [mês] de [ano]

MODELO 2:

Proposta Comercial

Nome do cliente

Descrição do projeto

1. Entendimento
Aqui você descreve a sua interpretação da necessidade do cliente.

2. Dos produtos ou serviços a serem entregues:

Produto / Serviço 1:
Descreva em detalhes não só as características do que você vai desenvolver ou criar, como também o modelo estratégico aplicado ao projeto. Não tenha medo de ser didático.

Produto / Serviço 2:
Descreva em detalhes não só as características do que você vai desenvolver ou criar, como também o modelo estratégico aplicado ao projeto. Não tenha medo de ser didático.

3. Das fases do projeto:
Importante criar um rascunho da metodologia de acompanhamento.
Exemplo: design, desenvolvimento e manutenção.

Primeira fase: Descreva e aponte a data de início e fim dessa etapa.
Segunda fase: Descreva e aponte a data de início e fim dessa etapa.
Terceira fase: Descreva e aponte a data de início e fim dessa etapa.

4. Investimento

Produto	Descrição	Prazo	Valor
Nome do produto 1	Descrição sucinta	x dias	R$1,00
Nome do produto 2	Descrição sucinta	y dias	R$ 2,00
Nome do produto 3	Descrição sucinta	z dias	R$ 3,00
TOTAL		x + y + z	R$ 6,00

5. Condições gerais

***Composição**: 50% inicial + 50% final da ação*

Validade da proposta: Válida por 10 (dez) dias após a data de envio.

Itens não contemplados: Relacione o que você não fará no projeto.

Local de Prestação dos Serviços: O projeto será desenvolvido em São Paulo e qualquer necessidade de deslocamento deve ser realizada por conta do cliente.

MODELO 3:

Proposta Comercial

Inovação e versatilidade para seu negócio

Indique a empresa e o nome do responsável para quem você está enviando a proposta.

Descrição geral
Descreva resumidamente o serviço ou o produto que será oferecido ao cliente.

Requisitos de implementação
Enumere as necessidades para que o serviço possa ser realizado.

Suporte e treinamento
Caso você ou sua empresa proporcione suporte e treinamento para uso do produto oferecido, por exemplo, descreva como o cliente poderá consultá-los.

Estrutura organizacional
Módulo 1: Descreva todas as competências dessa etapa do projeto.
Módulo 2: Descreve todas as competências dessa etapa do projeto.
Módulo 3: Descreva todas as competências dessa etapa do projeto.
Módulo 4: Descreva todas as competências dessa etapa do projeto.

Condições gerais de fornecimento

Investimento:	R$ X.XXX,00
Pagamento:	Formas e condições de pagamento.
Prazo de entrega:	Data-limite para a entrega do serviço ou produto.
Garantia:	Prazo para que o cliente possa receber assistência sem custo adicional.
Validade da proposta:	Prazo para que o cliente dê a resposta positiva ou negativa para a proposta.
Cronograma:	Datas e prazos para cada etapa do serviço.

Considerações finais

Quaisquer observações que você julgue necessárias.

Atenciosamente,

[Nome de quem assina a proposta]

[Local e data]

Sobre a assinatura da proposta, gostaríamos de apresentar uma novidade que é tendência hoje e que vem ganhando espaço nas grandes organizações por todo o mundo. Essa novidade também poderá ajudá-lo a apresentar melhor sua proposta e, consequentemente, a vender mais.

Uma boa assinatura possui três características importantes:

- Logotipo da empresa: para marcar e valorizar o nome da sua empresa.

- Foto do vendedor (a): essa é a grande novidade. Pesquisas comprovaram que os clientes compram mais quando veem com quem estão fazendo negócios. Isso acontece porque a foto da pessoa traz credibilidade à proposta. É conveniente também que a foto seja alegre, isso sempre ajuda.

- Dados comerciais para contato: telefone e e-mail bem legíveis para facilitar o retorno do cliente caso ele se interesse pela proposta.

Com base nas ideias que apresentamos aqui, crie o seu próprio modelo para envio de propostas e capriche nos detalhes para passar uma imagem profissional e organizada ao seu futuro cliente.

18

O famoso e-mail "matador" para pegar respostas de clientes

E-MAIL "MATADOR" É O APELIDO QUE DAMOS AO E-MAIL QUE RESOLVE uma situação enrolada em vendas. Tudo começou na empresa KLA, hoje uma das maiores promotoras de eventos do Brasil.

"Essa necessidade surgiu porque em dado momento havia muitos clientes para dar respostas, mas elas nunca vinham; o prazo ia se passando e as contas vencendo, até o dia que tudo chegou no limite e resolvemos dar um ultimato em todos os clientes que estavam analisando. Dissemos: Ou vocês compram agora, ou deixam de ser nossos clientes. O prazo final é hoje." Para surpresa de todos, nesse dia a KLA teve recorde de vendas! Então eles aprenderam que não podiam deixar os clientes tão à vontade, soltos, e também que vendedores bonzinhos e empresas compreensivas não ganham dinheiro.

É preciso respeitar os prazos de escolha e decisão dos clientes, sim, mas tudo tem limite. Você precisa impor sua postura e posicionar-se diante de seu cliente, mantendo o controle da situação. Caso contrário se tornará refém dele.

Saiba que os clientes compram tudo na vida por dois motivos: pelo prazer de ganhar ou pelo medo de perder. Tudo o que você imaginar nessa vida, verá que por traz da venda houve um interesse do cliente em ganhar algo ou o medo de perder algo caso não comprasse. E essa segunda motivação em vendas é pouco explorada pelos vendedores, porque eles têm medo de perder a venda e com isso acabam ignorando esse fator psicológico. Assim, perdem uma importante arma para fechar negócios.

Geralmente, esse medo de perder a venda, vem acompanhado por ansiedade e insegurança profissional. Juntando tudo isso, o vendedor fica fraco e o cliente faz com ele o que bem entender, manipulando-o como uma pobre marionete à mercê de seus gostos.

O medo de perder (ou ter prejuízo) motiva a compra, pois, além de muito apelativo, traz urgência para a aquisição. Vendedores que sabem usar isso, tornam seus discursos mais impactantes ainda.

Os clientes compram porque têm medo de doenças, envelhecimento, pobreza, exclusão social, desatualização, chacotas, engordar, morrer, solidão, desemprego, perder negócios, atrasos, frio, calor, violência, problemas, sujeiras, prejuízos, impotência sexual, não entrar no céu etc.

Em resumo, quase tudo que se vende ao cliente pode oferecer algum risco de que ele perca algo caso não compre. E você deve explorar isso com veemência em seu e-mail "matador". Seja objetivo e deixe claro o que ele perderá, com isso conseguirá reverter para *sim* muitas vendas para as quais teria *não* como resposta.

Por exemplo, se você tem uma condição especial de preço ou forma de pagamento, poderá dizer:

"Senhor, além de mim, a empresa tem mais *x* vendedores que neste exato momento também estão oferecendo essa mesma condição a seus clientes. Não deixe para depois! Se o senhor não comprar agora, se arrependerá mais tarde e não haverá volta. Está perdendo a chance de ficar satisfeito de verdade".

Para vender e ganhar muito dinheiro com um bom e-mail matador, foque nos benefícios. E, com a mesma intensidade, foque também no medo dos clientes de ter prejuízos, desperte essa angústia neles e se surpreenderá com os resultados.

Um detalhe muito importante que não mencionamos ainda é: independentemente do argumento que você usar, ele só terá valor e funcionará se for realmente verdadeiro. Se o medo de perder que você usar for um blefe, uma farsa, esqueça, é melhor não usar. Porque a venda perdida a gente recupera no mês seguinte, mas a credibilidade, nunca mais.

O e-mail "matador" pode, sim, e deve ser um aliado poderoso às vendas, mas ele não substitui o vendedor. Lembre-se sempre disso! Até o momento, nenhuma nova tecnologia foi tão eficaz quanto o ato de vender. Uma boa conversa ao telefone ou uma conversa olho no olho, sempre serão muito mais eficazes do que um e-mail. Apenas em último caso, quando você já tentou de tudo e o cliente não lhe atende nem dá retorno, você deve enviar o e-mail "matador" para resolver a situação.

Mesmo quando a venda não se concretiza, o e-mail "matador" ainda tem o seu lado positivo. Ele resolveu a pendência. Você sabe que o cliente não comprará mais, descartará aquele cliente das suas possibilidades de vendas e então terá tempo livre para buscar outros que estejam realmente interessados no que está vendendo. Isso é muito importante: você deve colocar energia em coisas boas e não em coisas perdidas.

O e-mail "matador" pode ser enviado para pegar a resposta de uma proposta deixada com o cliente, quando ele já não atende mais e nem retorna os seus recados. Vá para cima do cliente e resolva o caso, nem que seja para ouvir o "não" em definitivo; é melhor ouvir um "não" do que ficar colecionando falsos "sim", que fazem você perder tempo alimentando uma esperança de vendas, gastando empenho e energia, até a hora em que você desiste e volta-se para outra negociação. Não perca tempo com quem não quer comprar.

O e-mail "matador" deve ser:

1. Simples, direto e objetivo.
2. Com espaços em branco. Pule uma linha entre os parágrafos para que ele fique mais legível e leve.
3. Um gerador de imagens que vai mexer com a imaginação do cliente. É preciso "desenhar" para o cliente. Isso significa que, às vezes, palavras não bastam, é necessário usar gráficos, setas ou outras imagens. Sempre que possível use imagens coladas no corpo do e-mail para aguçar a imaginação do seu cliente.
4. Personalizado com o nome do potencial cliente, nunca pelo cargo. Nunca use, por exemplo, "Prezado gerente de vendas".
5. Um meio para o cliente responder, e você pode estimular isso. Finalize o e-mail sempre com uma pergunta, com uma interrogação. Isso ajudará o cliente a responder, estimulando o diálogo e o caminho para a venda.

6. Curto. E-mails longos não são lidos. O e-mail deve caber na tela e poder ser lido por completo sem a necessidade de se mexer na barra de rolagem. Se não couber na tela, resuma-o, sinal de que está longo demais.

7. Dividido em etapas invisíveis de começo, meio e fim:

   • Comece com um cumprimento e introdução do assunto.

   • O objetivo principal será o corpo da mensagem.

   • Finalize-o, sempre, com opções de compra pelo cliente e meios para o próximo contato, como por exemplo:

     - Deixe seu telefone que entraremos em contato.

     - Indique a quantidade desejada.

     - Quer o pacote 1 ou pacote 2?

8. Elaborado com um argumento verdadeiro, real, forte, de alto impacto e inquestionável, capaz de fazer o cliente decidir a comprar naquele momento. Essa é a essência, a alma do e-mail "matador". Por exemplo, se estamos vendendo uma grade de segurança de ferro para cercar um condomínio, um excelente argumento para fechar a venda é escrever:

   "Prezado síndico Sr. Heleno,

   Como sabe, nosso produto depende diretamente do valor do aço no mercado, e segundo fontes seguras temos a informação de que o aço sofrerá uma grande correção, um grande aumento a qualquer momento, o que encarecerá muito seu preço. Isso trará sérios transtornos àqueles que pretendem comprar aço nos próximos meses devido a mudança de orçamento. Portanto, para que os senhores possam usar nossas grades, desfrutando de toda segurança, status e beleza que elas proporcionarão, precisamos de uma resposta ainda hoje, até o final da tarde, para entrarmos com o pedido na distribuidora de aço. Caso contrário, não poderemos mais lhe atender na condição negociada.

Aguardamos seu retorno.

Atenciosamente,

César Frazão e João Kepler"

Veja mais um exemplo a seguir. O caso abaixo refere-se a uma empresa que vende móveis para escritório e precisa dar um ultimato em um cliente indeciso:

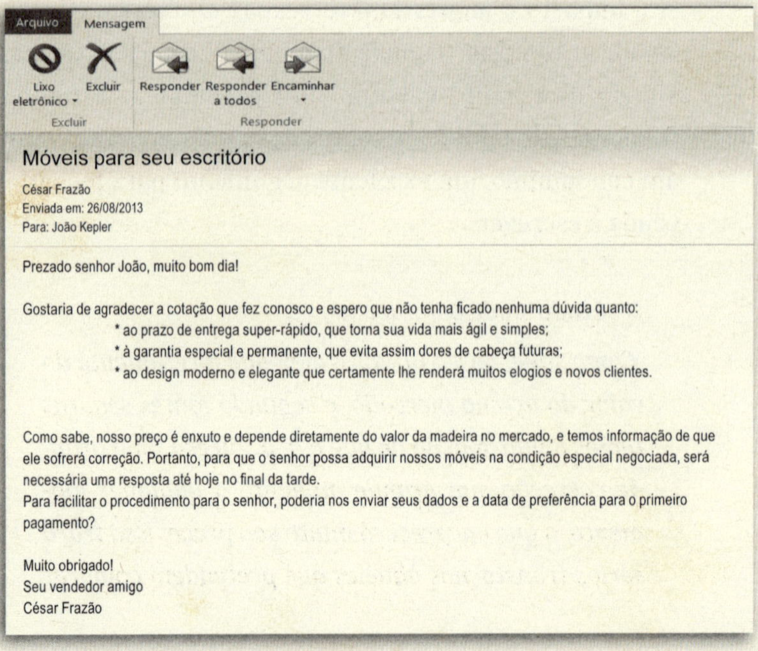

Móveis para seu escritório

César Frazão
Enviada em: 26/08/2013
Para: João Kepler

Prezado senhor João, muito bom dia!

Gostaria de agradecer a cotação que fez conosco e espero que não tenha ficado nenhuma dúvida quanto:

* ao prazo de entrega super-rápido, que torna sua vida mais ágil e simples;
* à garantia especial e permanente, que evita assim dores de cabeça futuras;
* ao design moderno e elegante que certamente lhe renderá muitos elogios e novos clientes.

Como sabe, nosso preço é enxuto e depende diretamente do valor da madeira no mercado, e temos informação de que ele sofrerá correção. Portanto, para que o senhor possa adquirir nossos móveis na condição especial negociada, será necessária uma resposta até hoje no final da tarde.
Para facilitar o procedimento para o senhor, poderia nos enviar seus dados e a data de preferência para o primeiro pagamento?

Muito obrigado!
Seu vendedor amigo
César Frazão

Obter opiniões de terceiros pode ser de grande valia; pequenas dicas ou ideias podem fazer a diferença para a venda acontecer. Imprima alguns e-mails enviados ou que pretende enviar para clientes, mostre-os a seus colegas e ouça as sugestões. Um detalhezinho que for melhorado, já valerá a pena.

Resumindo: se você tem clientes que estão te enrolando para dar resposta, coloque um fim nessa história. É melhor ouvir um "não" do que um falso "sim" ou um "talvez". Você precisa pagar suas contas e elas são pagas com vendas, não com promessas.

19

E-mails para resgatar clientes perdidos

UMA EMPRESA PERDE EM MÉDIA 20% DE SEUS CLIENTES POR ANO. Se não fizer nada a respeito, em cinco anos ficará sem cliente nenhum e fechará as portas.

Você compra pizza provavelmente em uma pizzaria próxima a sua casa. Vamos supor que mude para outra cidade. Continuaria comprando na mesma pizzaria? Claro que não. Então podemos concluir que a pizzaria o perdeu como cliente mesmo sem ter feito nada de errado. Assim acontece também com os negócios.

Os clientes vão embora ou simplesmente deixam de comprar por diversos motivos, além do fator atendimento, que geralmente é o primeiro da lista.

Outra consideração importante é que se o cliente não está mais comprando de você, deve estar comprando de outra pessoa. Ele não deixou de comprar, deixou de comprar de você. Ou seja, quando deixamos de oferecer abrimos espaço para a concorrência.

Nos dias de hoje, é imprescindível usar todos os canais de vendas disponíveis para gerar receita e, sem dúvida, os ex-clientes representam uma fonte potencial de recursos, porque em algum momento do passado já compraram o que você está vendendo.

Pensando nisso, trouxemos para este livro duas sugestões de textos que, de acordo com nossa experiência e depoimentos de algumas dezenas de clientes que usaram e gostaram, certamente ajudarão você a recuperar clientes, independentemente do motivo pelo qual eles pararam de comprar de você.

É preciso ter em mente que mesmo quando o cliente dá a entender que não quer mais comprar, sempre há uma oportunidade de recuperar o negócio. Mesmo na pior das hipóteses, se o cliente decidir não continuar, a empresa terá demonstrado que tem uma atitude positiva quanto ao atendimento a ele. As cartas a seguir mostram uma abordagem para reconquistá-lo. Você pode adaptá-las ao seu negócio, de acordo com sua necessidade.

Primeiro modelo: trata-se de um texto simples, de fácil leitura, em que você se coloca à disposição para reatar contato.

(***)

Gostaria de me apresentar como responsável por sua conta e queria ter a oportunidade de atendê-lo em breve, para discutirmos uma maneira de trazer sua empresa de volta para nossa carteira de clientes.

Em primeiro lugar, quero informar que estamos aprimorando nossos serviços dia a dia. Concluímos uma fase de modernização e melhorias nas instalações e nos processos, e hoje podemos atendê-lo com maior rapidez e eficiência. Além disso, nossos colaboradores estão passando por programas de treinamento para atendimento a clientes, de modo que esperamos que você perceba a diferença caso nos procure outra vez.

No entanto, o que realmente importa agora é analisarmos suas necessidades e descobrirmos por quê vocês pararam de trabalhar conosco.

Se tiver alguma dificuldade ou algo que queria discutir, este é o momento ideal. A partir de agora assumirei pessoalmente a responsabilidade por todos os negócios com sua empresa, para que possamos retomar nossos contatos de maneira produtiva e que esteja de acordo com o que sua empresa precisa.

Acreditamos que o cliente está sempre em primeiro lugar, por isso queremos trazer sua empresa de volta.

Temos certeza de que, ao experimentar nosso serviço mais uma vez, notará a diferença rapidamente.

Entrarei em contato em breve para marcarmos uma rápida e produtiva reunião.

Segundo modelo: trata-se de um texto um pouco mais sofisticado com algumas possibilidades a mais e com um posicionamento muito humilde de nossa parte.

(***)

Em primeiro lugar, peço desculpas pelo atraso e pela demora em entrar em contato com vocês. Fiquei bastante preocupado em saber que sua empresa não deseja mais estabelecer relações comerciais conosco.

Como sabe, temos trabalhado juntos por X anos e sentia que tínhamos um bom relacionamento de trabalho. Pretendíamos proporcionar o melhor atendimento possível à sua empresa e não fui informado de nenhum problema sério que tenha ocorrido em relação ao nosso serviço.

Foi, então, com extrema surpresa que soube que sua empresa mudou de fornecedor sem nenhuma razão aparente. Estamos sempre dispostos a discutir qualquer aspecto que possa afetar nosso relacionamento: preço, entrega, instalações, prazos, qualidade etc. Contudo, neste caso não tivemos oportunidade para isso.

Nós valorizamos o relacionamento de trabalho com sua empresa e gostaríamos de ter uma nova oportunidade para discutir a situação com vocês.

Entrarei em contato dentro de alguns dias para agendarmos uma reunião, que, tenho certeza, será muito produtiva para ambas as partes.[1]

O caminho para reconquistar clientes não é fácil, mas é sempre muito promissor, afinal eles já lhe conhecem. E se você mostrar que seu trabalho está cada vez melhor, eles certamente lhe darão uma nova chance.

Temos certeza de que parte de seus clientes voltará à sua carteira só pelo fato de você oferecer novamente seus serviços e produtos. Vendas funcionam assim: se oferecer, vende!

---

1 (Texto adaptado do livro *30 minutos para redigir cartas de vendas*, de Ian Linton. Editora Clio.)

20

Como agendar visitas e reuniões por e-mail

ÀS VEZES É NECESSÁRIO AGENDAR UMA VISITA PARA CONSEGUIR FALAR com os clientes, principalmente em grandes empresas com modernas recepções, onde os compradores só atendem com hora marcada. Justamente aí começa a grande dificuldade, pois raramente as pessoas querem ou têm tempo para atender os vendedores. O vendedor fica em uma verdadeira encruzilhada: se for direto, sem marcar hora, não será atendido ou, se ligar, não conseguirá agendar a visita.

Grande parte dos vendedores fracassa porque tenta vender o produto por telefone antes de vender a entrevista. Não tente vender o produto ao cliente, mas, sim, a entrevista. É a etapa que chamamos de "a venda antes da venda".

Venda a ideia, a necessidade de seu cliente atendê-lo e não o produto ou serviço que está propondo. Lembre-se: o objetivo é agendar a visita. A venda fica para um segundo momento. Deixe para iniciá-la somente quando estiver frente a frente com o cliente.

É algo mais ou menos como jogar a isca. Você deve dar apenas informações superficiais para provocar e despertar o desejo do seu cliente em lhe atender. Só isso e mais nada. Toda e qualquer informação adicional como preço, por exemplo, deverá ser passada no ato da venda pessoal, pois, se você revelar tudo, o cliente já terá todas as informações e não terá motivo para lhe atender. E você perderá a chance de negociar com ele e mostrar os benefícios que seus produtos ou serviços oferecem.

Gostamos muito da técnica da hora quebrada: quando agendar um horário com o cliente, nunca marque em uma hora cheia, isto é, 11 horas, pois na cabeça do cliente você tomará uma hora do seu tempo e ele ficará menos propenso a aceitar a visita.

Então, marque horários quebrados como: 9h45, 10h30, pois ele saberá que a reunião será rápida e produtiva. Você oferecerá seus produtos e serviços e não tomará muito tempo.

Com o uso da técnica da hora quebrada, o vendedor, além de conseguir agendar com mais facilidade, ganha duas vantagens:

1. Credibilidade, pois passa ao cliente a imagem de que é um profissional requisitado e uma pessoa de muitos negócios de sucesso.
2. Transmite a imagem de uma pessoa organizada e direta, portanto será objetiva, poupando o tempo do cliente.

Quando encontrar uma secretária ou uma recepcionista no caminho, é preciso saber lidar com ela para tê-la do seu lado, tornando-a sua aliada e não sua inimiga.

Muitos vendedores simplesmente desistem de vender quando encontram secretárias ou recepcionistas por não saber lidar com elas. Pensam estar diante de uma barreira intransponível, o que não é verdade. A secretária ou recepcionista é a chave do sucesso; um relacionamento bom e amigável entre você e ela facilitará o agendamento de reuniões para você possa apresentar seus produtos e serviços.

Quatro regras de ouro para ter as secretárias como suas aliadas:

1. Trate-as como gostaria de ser tratado, é impossível obter ajuda tratando-as com frieza.
2. Entenda o trabalho dela e que faz parte dele peneirar ligações, mas mostre que a sua ligação e/ou e-mail são importantes para a empresa.
3. Venda à secretária como se estivesse vendendo ao dono da empresa. Quando você desligar o telefone ou sair da sala, ela será sua vendedora.
4. Jamais minta, pois a sua imagem e a credibilidade de sua empresa poderão ruir.

Resumindo, venda a entrevista e não o produto ou o serviço. Use a técnica da hora quebrada e fale com entusiasmo. Seja sábio ao enviar e-mails para secretárias. Dessa forma ficará muito mais fácil agendar visitas com sucesso!

21

Vendas por chat

AQUI ESTÁ UMA TENDÊNCIA QUE CRESCE MUITO: VENDAS POR CHAT.

Observamos um grande aumento de vendas nessa plataforma em vários segmentos de mercado e entre eles destacamos os segmentos imobiliário, planos de saúde, seguros e linhas de crédito em geral. Esse crescimento se dá porque esse canal de vendas tem praticamente a mesma velocidade do telefone, os mesmos recursos visuais que se tem por e-mail e a facilidade de estabelecer uma conversa objetiva, que pode ser interrompida a qualquer momento, sem constrangimentos por parte do cliente.

Vendedores especializados nesse canal de vendas nos contaram que hoje não é raro encontrar clientes que só querem ser atendidos por meio de chats. Outra vantagem que descobrimos é que, geralmente, o cliente pode se dedicar a outras atividades enquanto conversa, pelo chat, com o vendedor, otimizando assim seu precioso tempo.

Por meio de uma pesquisa em campo com vendedores especializados em chat, selecionamos algumas dicas práticas e valiosas para turbinar esse novo canal de vendas.

Dicas práticas para vendas por chat:

- Tenha rapidez e objetividade ao digitar suas ideias. Quem procura esse canal de vendas não tem tempo a perder e quer ser atendido rapidamente.

- Cuidado com especulações de concorrentes. Já vimos isso acontecer inúmeras vezes. Concorrentes sem ética ficam horas e horas especulando e tirando informações de vendedores despreparados. Se desconfiar que a conversa se trata de uma especulação, solicite imediatamente o telefone para contato e faça a confirmação. Geralmente especuladores dão números de telefones que não existem.

- É importante que o vendedor digital conheça muito bem seu produto. Vendas por chat, ao contrário do que se pensa, não são para amadores. É desejável que o profissional tenha uma boa experiência em campo para não titubear na digitação.

- Não dê informações demais. Tente marcar uma reunião ou uma visita para vender. A menos, é claro, que o objetivo seja fazer a venda inteiramente por meio virtual.

- Verifique se o cliente já não foi atendido por outra pessoa na empresa. Às vezes a conversa pode cair devido a falha no sinal ou algo parecido. Para o cliente não ter de contar toda a história novamente, o ideal é que ele volte a falar com a pessoa com quem já estava conversando.

Isso garante um bom atendimento ao cliente e a satisfação da pessoa que iniciou o atendimento, uma vez que ela receberá a comissão.

• Proatividade com cautela. Antecipe-se a algumas indagações do cliente e tente surpreendê-lo com alguma novidade ou informação relevante. Contudo, tome cuidado para não falar demais e morrer pela boca, acabando com a própria venda.

• Olhe para a tela como se estivesse olhando para o cliente. Essa talvez seja a mais importante de todas as dicas. Foi uma grande surpresa para nós aprender isso e faz uma enorme diferença no atendimento.

• Coloque emoção nas palavras. Juntamente com a preciosa dica anterior, esta acompanha a mesma intenção: a de prestar atendimento legítimo, realmente interessado. Para você chegar ao bolso de seu cliente precisa passar pelo coração dele antes. Os clientes compram tudo pela emoção e usam a razão para justificar o que compraram.

• Tentar envolver. Preste atenção no tipo de vocabulário que seu cliente usa, nas palavras, expressões, e tente envolvê-lo na conversa.

• Foque na conversa no chat, esqueça tudo ao seu redor e concentre-se na tela e no seu cliente. Não dê ouvidos aos colegas ao lado ou a outras coisas que poderão distrair você do mais importante. Vender por chat é entregar-se à conversa.

• Você não é atendente, é vendedor. Valorize-se perante seu cliente. Se você não fizer isso, quem vai fazer?

- Para que uma conversa por chat seja bem conduzida, ela deve seguir uma ordem lógica de venda. Isso aumenta a possibilidade de um bom resultado.

Como iniciar uma venda por chat

1. Abertura:

Essa fase é muito importante, nela deve entrar uma primeira mensagem automática e padronizada, cumprimentado o cliente, apresentando o vendedor(a) e agradecendo o contato.

2. Sondagem:

Duas ou três perguntas assertivas para entender o que o cliente procura e te dar o direcionamento da conversa.

3. Apresentação do produto:

Essa é a hora de vender seu peixe e caprichar na explicação dos benefícios e dos fatos relevantes.

4. Valor e condições de pagamento:

Preços, prazos e descontos devem ser apresentados com objetividade e segurança durante a oferta.

5. Negociação e argumentação:

Argumentos para superar objeções, pesquisas e depoimentos de clientes que compraram e estão satisfeitos deverão ser usados nessa fase da venda para convencer o cliente.

6. Fechamento:

Não bobeie e feche a venda. Deixar para depois, faz as chances de vendas cairem muito. Quando for inevitável, procure já deixar agendado a nova data e hora para você retornar a ligação, o e-mail ou mesmo a conversa pelo chat.

7. Pós-venda:

A venda não acaba quando o cliente compra. Ela está apenas começando. Um programinha simples de CRM (abreviatura do inglês para Customer Relationship Program, software gratuito de relacionamento com cliente) poderá ajudar você e sua empresa a estruturar e organizar os futuros contatos com o cliente. O programa de CRM é a opção ideal para qualquer necessidade de gestão de clientes para empresas de todos os portes, sejam grandes organizações sejam vendedores autônomos.

Quando o objetivo é agendar uma visita, marcar uma reunião ou convidar o cliente para ir à empresa, à loja ou ao plantão de vendas, são menos etapas porque a venda será feita em duas fases.

Primeira fase:

1. Abertura

2. Sondagem

3. Apresentação do produto

4. Agendamento de visitas/reunião

Segunda fase:

5. Presencial:

Não importa o seu ramo de atividade, qualquer um pode vender por chat hoje em dia, e em nossa opinião em um futuro muito próximo haverá dois tipos de empresas: as que sabem vender por chat e as que estarão fora do jogo. Portanto, esta é a hora de antecipar-se à concorrência e sair na frente.

22

Usando os recursos das mídias sociais

AS MÍDIAS SOCIAIS ESTÃO SEMPRE A TODA VELOCIDADE. A CADA DIA surgem novos aplicativos, novas tecnologias que podem incrementar a apresentação do seu produto. Então, use seu tempo livre para pesquisar qual aplicativo é ideal para você e para seu produto.

Selecionamos alguns aplicativos com diversas funções para que você possa fazer pequenas apresentações de seu produto ou serviço em páginas do Facebook, sites ou mesmo por e-mail.

Aplicativos gratuitos

- **Qwiki:** Utilizando um iPhone e fotos que você mesmo fez de seu produto, é possível criar um vídeo curto e enviá-lo aos clientes por e-mail ou disponibilizá-lo em sua *fanpage* do Facebook.

- **PicsArt:** Com esse aplicativo – apropriado para smartphones, Androids, iPhones e que também pode ser usado em seu computador com qualquer versão do Windows –, você encontra tudo o que precisa para editar as fotos de seus produtos, colocar textos, adicionar objetos e efeitos, fazer fotomontagens e disponibilizá-las em redes sociais.

- **Frame Free:** Também ideal para smartphones, Androids e iPhones, você pode fazer uma série de molduras e textos para seu produto e divulgá-lo por e-mail e redes sociais.

- **Mobli:** Aplicativo de edição e compartilhamento de fotografias para iPhone, iPad e Android. Com ele você poderá fotografar e aplicar diversos filtros às imagens de seu produto. O aplicativo funciona como uma rede social. É possível acompanhar atualizações de amigos, procurar fotos por tema, popularidade ou localização e curtir e comentar as fotos compartilhadas pelo Mobli. O aplicativo oferece também a opção de filmar e compartilhar vídeos

- **Pip Camera:** Você pode fazer imagens, vídeos e montagens com diversos cenários.

Como você pode ver, há uma série de aplicativos que podem ser usados por todas as pessoas que desejam enviar um e-mail mais elaborado ou criar seu próprio vídeo ou sua apresentação usando as imagens do produto ou serviço.

A melhor maneira de estar perto dos seus clientes é compartilhando diariamente as novidades nos canais de mídia social disponíveis e que são utilizados por eles.

Lembre-se: o conteúdo digital tem alto poder de atração, facilita o engajamento das pessoas e pode ser produzido de várias formas, como notícias, novidades, vídeos, apresentações e diversas outras maneiras. Todas elas, quando feitas com qualidade e de modo objetivo, podem dar destaque para sua empresa e o que você vende.

23

Mensagem final

COM A CHEGADA DA TECNOLOGIA, O AVANÇO DAS MÍDIAS SOCIAIS, A interação entre vendedor e cliente cada vez maior por meio da loja virtual, páginas em redes sociais ou pedidos por site, a pergunta que mais ouvimos em fóruns e seminários de venda é: o vendedor deixará de existir?

A resposta é simples: assim como a televisão não eliminou o rádio e a internet não eliminou a revista impressa, a tecnologia não eliminará a figura do vendedor.

Sempre haverá a necessidade do vendedor para entender, persuadir, explicar e convencer o cliente a comprar. Mesmo que ele esteja por trás de algum computador ou outro meio digital, ainda assim haverá um vendedor.

Estamos vivendo um grande desafio: o momento de conciliação entre dois mundos diferentes em vendas que estão se encontrando.

De um lado temos os tradicionais vendedores que, com seus talentos, saem à procura de clientes, conversam, enfrentam trânsito, chuva, sol e frio. Criam necessidades, desejos, oferecem seus produtos e serviços com vibração e vendem. E com esse dinheiro cumprem suas metas na empresa, sustentam suas famílias e realizam seus sonhos.

Do outro lado, temos toda a incrível tecnologia que avança em velocidade maior do que poderíamos imaginar há dez anos. De repente, você se dá conta do surgimento de redes sociais, novos aplicativos, softwares que prometem agilizar a venda... E com a correria do nosso dia a dia, o cliente prefere iniciar a negociação por chat ou e-mail. Quase tudo pode ser comprado com apenas alguns cliques.

Esse é o mundo que vivemos. E cada vez mais a tecnologia fará parte do dia a dia do vendedor. Portanto, prepare-se para ser um vendedor digital. Seja curioso, pesquise as tecnologias, troque informações com as pessoas, faça tentativas. Afinal, a tecnologia tem facilitado a nossa vida e pode facilitar muito a vida de um vendedor que escolha encarar a realidade digital! Para você, vendedor veterano, que já está no mercado há muitos e muitos anos com longa experiência em vendas, também conhecidos como "vendossauros", uma dica: mude ou morrerá. Adapte-se às novas tecnologias de vendas, troque seu celular por um de última geração, crie sua página no Facebook, fique antenado, ligado em tudo. Alie sua experiência com uma roupagem moderna.

E, para você que faz parte da geração que já vive integrado ao meio digital, deixe um pouco de lado tudo isso e vá visitar clientes, pegue o telefone e ligue para eles. Nenhuma tecnologia substitui o olho no olho, o ato de vender e o trabalho duro para conquistar as coisas que deseja.

E o nosso terceiro conselho vai para todos: o sucesso em vendas está no equilíbrio, na sabedoria, na vontade, em gostar do que se faz e sobretudo na humildade de reconhecer que somos falhos e que podemos aprender uns com os outros, nos tornando vendedores e seres humanos melhores.

Boas vendas e sucesso!

César Frazão e João Kepler

Este livro foi impresso pela Assahí Gráfica
em papel *norbrite plus* 66,6 g.